WEALTH

天窗出版

富足家庭

ABC

Attitudes Behaviours Consequences

林昶恆 著

目錄

Chapter 1
家庭理財 Get set, go!

Chapter 2
保險——買時用不著，用時買不到！

Chapter 3
子女教育開支要精打細算

Chapter 4
置業及移民規劃

推薦序

戴嘉輝 (Mr. Edward DAI)

保誠保險有限公司
業務拓展總監
營業行政部

認識Alvin已有十多個年頭，由同事變成伙伴，再由伙伴變成朋友。隨着關係的變化，對Alvin的認識亦越深。最初將他定性為學者，而現在會尊稱他為高人。此話何解？剛接觸Alvin的時候，僅限於課堂或書本上，接受他的培訓，直至一次於兒童興趣班的偶遇，才認識到高人的另一面！

眾所皆知，理財策劃的基本面都是以數字為始，亦以數字結終，過程中透過理財策略及合適產品，協助客戶達成目標，由此岸到達彼岸（from "where you are" to "where you want to be"）。整個過程都是理性的，甚至乎是冰冷的。可能是Alvin另一個專業的關係，作為一位輔導學碩士，他對人的觀察細緻入微，故在理財策劃方面亦著重了人的元素。

過去的著作，除了個人理財外，亦有為特定目標群而設，如職場女性、兒童等。今次更將領域擴闊到整個家庭上，且與近兩年的熱門話題「海外升學/置業、移民」等聯繫上。作者的分析、建議不只局限於金錢領域上，他更將家人的關係、兩性的觀點、及兒童的憂

慮等作出專業的提點及建議，故 Alvin 給予的建議總是更立體及更有溫度的！本人今次有幸比其他讀者早點一窺本書內的其中章節，深感榮幸！

Alvin 雖然未至於風流倜儻、玉樹臨風；但溫文爾雅、文質彬彬、博學多才總是與其掛鈎。坊間稱他為「理財達人」，我認為「財策君子」的稱呼更為貼切！

最後，要感謝 Alvin 邀請為其新作撰寫推薦序。相信每人都希望能夠達到「財務自由」，但大部分人卻只停留在空想階段，遑論「富足」！透過本書，您將有機會達到「心」（Attitudes）、「身」（Behaviours）一致，成就（Consequences）「富足家庭」。箇中秘技，還是留給閣下自行領略，誠意推薦此書！

推薦序

葉卓偉 (Mr. Matthew Ip)
《iMoney 智富雜誌》
副採訪主任

自《iMoney 智富雜誌》2007年創刊開始，Alvin已為「你財策劃師」專欄執筆，解答讀者的理財疑難。Alvin是值得敬佩的專欄作者，我在他身上看到三個「最」。

一、最有心：為了深入了解每位讀者的獨特需要，Alvin堅持抽時間約見每位來信的讀者，面對面聆聽他們的財務狀況、理財目標，為他們提供切身的理財分析。專欄刊載以來，已會見了近400位讀者。

二、最全面：Alvin在專欄裡除了為讀者提供情理兼備的建議，也為讀者梳理家庭與親子關係，職場與退休心態等理財以外的疑難，不止為讀者理財，也為讀者理人生。

三、最有毅力：Alvin的專欄隔周刊出，每期也準時來稿，不論身處何地從不脫稿，這反映他對讀者的一份責任和使命。他的堅持令「你財策劃師」成為《iMoney 智富雜誌》最長青的專欄。

追求富足生活，相信是不少香港人的目標，但怎樣做才能夠得到這夢寐以求的生活？單靠投資理財，顯然只能夠達到財富上的富足，

Alvin 在書中傳授了更關鍵的方法 —— 處理好與家人的關係。

舉例 Alvin 在書中談及父母為規劃子女教育基金前，真正要做的是反思，別以為多花錢在孩子身上，便代表已盡了父母的責任，為人父母者更重要是抽時間和孩子相處。談到應否買樓自住，Alvin 首先着眼的也不是收入和供款能力，而是置業者與家人之間的相處情況。

我很榮幸獲 Alvin 邀請，為他的新書寫推薦序，先睹為快書中部分章節。一如他的專欄，他在書中既分享家庭理財之道，也為讀者理人生，箇中道理還是留給讀者自己發掘和細味，誠意推薦此書！

推薦序

魏春慧博士 (Dr. Vera Ngai)
中銀集團人壽保險有限公司
保險專屬代理部副總經理
DBA, BS (Hon.), BBA (Hon.),
ChLDM, CFFL, RCC, FLMI, PCS, ARA,
認可九型人格心理學導師
認可身心語言程式學 (NLP) 導師
認可催眠執行師

一個家庭，要怎樣才能夠過得幸福，一家人一起快樂地生活一輩子呢？

家人之間能互相愛護關懷，和家人都能擁有期望的生活經濟能力，都是不可或缺與互有關連的元素。

林老師是香港知名的理財教練，他是現時香港市場中少數的專業財富管理知識與心理學學問兼備的理財規劃專家。在這本新著作《富足家庭ABC》中，他繼續以生活化及貼地的方式跟讀者們分享如何達成一家生活富足，幸福快樂的方法，和一個家庭應該要有怎樣的正確理財態度（A）和行為（B），要如何做好一家人的溝通，才能達成大家都想要的理想結果（C）等。林老師強調金錢的管理與運用對一個家庭的重要和影響，家庭成員之間要在彼此的人生不同項目期望上，有清晰坦誠的溝通，例如夫婦生活、子女期望、置業、投資與移民的問題等等，不然家庭關係會受到衝擊。這點我是

十分同意的，在過去也有遇過不少夫婦因為結婚好幾年後才了解原來各自對人生有不同的目標和期望，甚至不同的子女教育方案規劃等，因而關係開始變差，甚至最終破裂。如果彼此能夠一早溝通清楚，互相配合處理金錢，結局可能就會變成不一樣了。

林老師在書中亦另章提及要了解人有不同的「金錢個性」，從這方面可以增加對個人和家庭成員在金錢上不同態度和感覺的了解，從中明白大家對金錢處理的差異。個性是習慣性的價值觀、思想、情緒和行為的解讀，是人的內在推動力所在，對一個人是否真的願意去做一件事有舉足輕重的作用，有時候事情變得知易行難都只因未能真正按照個性所想、所感去做。家人間如果能了解彼此的個性，越可以互相接納與配合，在家庭理財上便越能真正實踐和達成大家都滿足的方案與規劃，過一家認同的富足生活。

祝願所有讀者都能從林老師的書中學習到讓家庭擁有富足生活的ABC！

推薦序

宋國安 (Mr. Tony Sung)

宏利人壽保險(國際)有限公司
經銷培訓及發展部助理副總裁

大家可能聽過「你不理財，財不理你」這句說話，每人對於這句說話可能各有見解。例如有些人本身家境已經十分富裕，以為家中已有足夠的金錢應付不同人生階段的生活，他們可能認為不需要理財，但原來全都是不能變賣的資產。不論你的見解是甚麼，可以肯定的是，依照現今大家對生活質素的要求，理財的需求只會越來越大，而當中的知識或觀念，近年越受到重視。

「儲多個錢，到時買層樓，孝順父母……」我相信大家在年幼時便從長輩口中時常聽到這類說話。其實我們從小已被灌輸理財的重要性，但隨着社會的進步，理財已變得多元化，例如有家長在子女年幼時就為他們開設儲蓄戶口，在外國亦早已將理財相關知識列入課程，包括如何作出風險管理，有效地管理財富等等，培養其理財習慣，就連大學生也有多年的理財經驗。由此可見，除了要培養理財習慣外，理財的知識已成為不可或缺的一部份。

林昶恆先生所編寫的《富足家庭ABC》正正適切地提供有關這方面的知識，並以家庭的角度出發，通過易明的分析，提供深入淺出的理財概念和知識，從而令到讀者認識基本的理財技巧。這書的特

色是非常值得提出的，首先，它涵蓋的內容十分廣闊，遍及基本理財原理，分析時下熱門的理財話題，規劃的要訣以及常見的理財行為。另外，除了理性分析外，它還照顧到心理上的層面，使讀者明白到人性化地處理理財的重要。

相信讀者們從林先生的新書中能夠從ABC開始，達到家庭富足！

推薦序

鄧立平 (Mr. Tennant Tang)

富衛商學院主管

富衛人壽保險（百慕達）有限公司

有人說過，全世界最懂得理財的民族是猶太人，對金錢觀念，對投資的取態，都有一套獨特的做法，更加重要的，這些一切皆是由小培養，從家庭出發。

在香港，有個有趣的現象，資訊十分發達，東西學說共融，但從小學到中學課程，甚少有教授個人理財概念及工具，莫說家庭理財策劃等，反之我們對金錢理解，往往要透過你長大於怎樣的家庭。小時候屋邨成長，穿「白飯魚」踢球，跟姊姊吃半條「孖條」，父日出而作，母在家接車衣工，「理財」離我們很遠，畢竟當時勤勤力力便有出頭天，然而我對金錢的理解僅在於大學時代同學們互相「炒股票」才認識，當時的香港只要你努力，「財富」可以累積。

時移勢逆，今天社會競爭熾熱，掌握資訊就等於掌握財富，香港八九十年代經濟神話是否可以千秋萬代？今天小康之家比比皆是，小朋友活在父母「保護」下，對金錢觀念兩極：物質資源豐富，從沒有「渴望」或「期待」的機會，又或是過份吝嗇，想佔有一切。這些都或許是今天我們成年人也不懂怎樣對待金錢，不懂理財之道所至。

從事保險理財教育工作多年，其中一個很大的心願是可以把長遠穩健的理財概念及方法植根於每位學員，可以間接改善社會。認識Alvin已經超過十年，稱他是理財規劃教練當之無愧，從理論到實踐，可見一斑。多次跟他在培訓工作上合作，理念相近，理財方案踏實有效，是冊《富足家庭ABC》正是我找了很久的理財書籍：有實用的工具教學、有從父母角度怎樣把關懷及金錢作出平衡、有帶出家庭理財最核心的元素。若想成為下一個懂得善待金錢的民族，這本書幫到你。

推薦序

葉潤雲 (Ms. Amarantha Yip)
香港家庭福利會
總幹事

認識 Alvin，是在他的少年十五二十時，他和一班同學成立了小組，在我當時服務的青少年中心一起學習；二十多年後，我們在同類的場景，就是我現在服務的機構「香港家庭福利會」一個社區活動中重遇，不同的是，Alvin 已成為獨當一面的「理財教練」，為我們提供講座，一起合作推動「理財教育」，他也曾代表積金局為本會同事講解管理強積金的方法和相關資源；過去兩年，Alvin 更在本會從美國引入的「理財社會工作證書課程」中擔任導師，讓社工對投資和保險事宜有更多的掌握，以能適切地為不同的受眾提供支援。在這些不同的場合和面對不同的對象，Alvin 都能精要又中立地作出分享，深入淺出地讓大家明白理財之道，得到一致好評。

Alvin 將多年來從事理財教練的所見和心得撰文成書，也透過專欄和 facebook 專頁分享，讓更多人得益。這本《富足家庭 ABC》是 Alvin 出版的第六本理財書籍，顧名思義，目的是促進家庭明白和實踐有效的理財之道，致富致足。我十分認同書中提到家庭理財是一項所有人都必須掌握的生活技能，應從小培育，並且因應不同的人生階段和家庭發展的進程，有所規劃。

在我從事家庭工作的經驗，發覺仍有不少人認為家庭的事務，包括家庭理財都是老生常談，不需要甚麼學問和學習；然而，當碰著問題而觸礁，便亡羊補牢，更可惜的，一些家庭仍未能從中領悟，一錯再錯，帶來遺憾。在《富足家庭ABC》中，Alvin點出很多家庭在理財方面的問題和迷思，也作出切實的提問和提醒，引發讀者的思考。我很喜歡當中加插的個案例子，寫照著困局中的出路。

金錢觀→金錢習慣→財務狀況，正是書目A＝Attitudes（態度）→B＝Behaviours（行為）→C＝Consequences（結果）的闡述。我建議讀者細閱第八課「你對金錢態度，影響財富進度」，認識自己和家人的理財ABC，以及第九課「兩性金錢觀——婚姻的必修課」，透過彼此協調，建立共同目標，為締建持久的「富足家庭」努力。大家也可以透過其他不同章節，更多認識和探討家庭都非常關注，又與理財息息相關的重要家事，例如子女教育、置業、移民、投資、儲蓄和退休等，從中得到啟發。

《富足家庭ABC》是Alvin結合他在理財方面的專業知識、豐富的助人自助經驗，和推動家庭有效理財的熱忱的著作，我從中獲益不少，並誠意地向大家推薦。

自序

我用了ABC為新書名稱的一部分，看似簡單，實際並不容易，但要達到富足家庭需要最基本是要有正確態度和行為，才有好結果。

這本書是和家庭理財有關，所以家人的參與少不了。大家看到的文章，絕大部份都是由我口述，再由我兩位寶貝子女將錄音變成文字，這做法是希望他們在製作過程中，能夠多聽多接觸一些家庭理財觀念，能夠提醒他們家庭理財的重要性，為將來人生多做準備。我亦老懷安慰，因為孩子在和我閒談時，能夠將一些他們處理過的內容和細節向我說出來，對我來說，這本書已經達到期望的效果。

不論你在哪一個人生階段，假若希望能夠在未來人生有更好的規劃，尤其是針對家庭方面，今天便要開始為自己及家人製造回憶，所以我鼓勵你和家人一起閱讀這本書，當中有一些不同的貼士，包括怎樣能夠在生活細節中增加儲蓄，有甚麼人生投資目標，還有一個富足家庭的一百個簡單秘密，相信每一項都是值得細味及認真思考的重點。

由2014年出版第一本理財書籍至今，前後經歷七年時間，最初未有想到會出一系列的理財書籍，但後期欲罷不能，不過我亦相信這本書是在我的七年之約出版計劃中最後一本。為何有這個想法？因

為由我所出版的理財工具書來說，加上這本，包括繁體和簡體字版本，總共出了八本書，已經涵蓋了從小朋友階段開始的兒童理財，到家庭理財，投資規劃和退休規劃，還有女性和人到中年的個案分析，從人生階段來看，已經是一個很全面的系列，所以是時候停一停，想一想，構思還有甚麼方式為大家提供更多有意義的分享。

在此多謝不少支持我出版這書的朋友，包括天窗出版社和為我撰寫推薦序的六位朋友，我非常幸運地能得到他們的支持。當然亦要感謝我的家人Grace，Sofia和Argus的幫助和鼓勵。最後，希望透過這本書，能夠幫助讀者擁有富足家庭。

"Success is the sum of small efforts, repeated day in and day out."

——Robert Collier

林昶恆（Alvin Lam）

Chapter 1

家庭理財
Get set, go!

沒有財
便不用理？

不論是個人或家庭理財，一個常有想法是沒有財便不用理。
這是否正確呢？

根據香港政府統計處的 2019 年第三季《綜合住戶統計調查按
季統計報告》，顯示香港住戶平均人數 2.6 人，而有從事經濟
活動的家庭住戶每月入息中位數是 3.55 萬，簡單來說一家三
口的家庭，有一半人收入在 3.55 萬以上，以今日的生活需要
來說，並非高收入，亦因此很多人的結論是：今天生活也不
夠用，還怎樣為將來儲蓄或追求人生目標呢？不如活在當下
算吧！

家庭理財的其中一個選擇是，你要為今天而放棄未來，還是
為未來而節制今天呢？事實上，沒有資產和財富的人，更

加需要今天便開始積極理財，因為時間沒有價值，但能夠好好把握時間的話，可以幫助創造更大財富價值。但另一常見問題是錢不能無中生有，只能夠由怎樣運用現有資源開始，點滴保存作未來的規劃需要。從我過往所出版的四桶金系列理財書籍中，我亦指出如果收入不高，首要做好的理財安排是保險保障，這部分將會在另外的章節再詳細討論。而這個章節主要是有關怎樣能夠保存最多儲蓄，為將來做最好的準備。

收入不高，還要面對看似難以減低的使費，結論是沒有餘錢可以儲蓄，這個邏輯是否必然呢？

在我過去跟進過的一些理財個案來說，有些更極端的狀況是收入很高，例如有人可以每月賺到十萬或以上的入息，但到頭來一樣是月光族！所以我認為能夠儲蓄多少，並不只由你能夠賺取多少收入來決定，反而是你的支出模式有更大的影響力。「搵得多，不一定儲得多；使得多，將來好易坎坷！」，簡單來說，心態決定前途，下列的句子是否在形容你的收支管理心態或行為呢？

（一）　比別人花得起之前，是否已比別人賺得多？

（二）　賺得多但儲得少。

（三）　不適當消費，將儲蓄「燒廢」。

（四）　用錢有預算，財政無混亂。

（五）　有能力每月付款，等同有購買能力？

（六）　應急錢有甚麼用途？當然是應急！如非必要、不要隨便動用！

（七）　理財是一種生活技能，拖延學習影響你創造人生。

（八）　投資可以很複雜，但早開始早熟習。（閱讀《四桶金投資快上手》一定有幫助）

有財當然要理，但未有財更加要理，原因是今天未有資金，更加要好好運用時間來創造更多財富，如果讓時間輕易地溜走，時間只是沒用的東西，但能夠好好把握，就能製造財富。

家庭理財
不是一個人的事

不論是二人世界或是有孩子的家庭，家庭財政狀況都不是一個人的事。一個家庭怎樣能夠維持收支平衡，如何能夠賺取更多入息和控制支出而令到家庭有儲蓄，應付長遠需要及達到理想目標，相信很多人都明白是必須做的事情，但往往「知而不為」卻是常見家庭理財的現象。

為何不理會呢？其中原因可能是擔心「講錢失感情」，但不「講錢」是否又能夠維持，甚至增進感情呢？

我在香港大學修讀輔導學碩士時，看過些和婚姻輔導有關的研究，提到一些夫婦面對感情問題時，金錢相關的問題正是其中一樣主要影響因素。假如處理不善，不單會傷感情，更有機會令到關係受衝擊。所以不論你家庭是否有孩子，又或是將會組織家庭，這些問題都應該正面及早日處理，問題不

25

會因為不處理而解決，只會令到問題越滾越大，到不能解決的狀況。

過去十多年，我曾經為數百個家庭提供理財建議，其中有些夫婦，在和我談及他們的理財煩惱時，令我意會到他們在日常溝通中，並沒有認真討論過金錢問題。我亦曾經接觸過一些理財個案，兩口子正準備結婚，但大家未有在金錢上作出全面的溝通，家庭支出方面未有認真討論，包括大額的支出，例如供樓和首期如何分擔；另外日常的家庭營運成本，例如「燈油火蠟」和管理費等都沒有談及。

在傳統中國人社會，可能會認為應是由男方全權負責家庭支

出，但有時現代男女反而相信應該採用ＡＡ制，當這種分歧存在而大家不察覺時，到後來問題出現時才考慮便可能令到矛盾和磨擦增加。因此有些新婚夫婦，可能在婚姻之後很快便出現問題而導致離婚收場，因為「了解」而分開。金錢問題不會自動處理，需要互相坦白提出討論才能夠得到妥善處理。

沒有人喜歡被蒙騙，但在處理金錢上亦是一個容易出現的現象，雙方對一些金錢問題避而不談，甚至乎將問題保密，到未能再保密而必須攤牌時，才知道問題已發展到不能處理，例如因欠債過多而無力還款，要申請破產，面對這情形，肯定是考驗伴侶的時候！

最理想的家庭理財方式，便是有商有量，雙方亦要由今天的需要開始，想到未來的需要，有時當面對需要而能力不足時，亦可能會出現借貸問題，而借貸亦是在家庭理財之中需要小心處理的問題。

甚麼是
流動資產？

如何運用時間創造財富，亦要考慮應配合甚麼資產。個人資產一般包括六大類別，分別是人力資產、流動資產、投資資產、房地產，退休資產和承傳用途資產等。人力資產需要投資時間去學習及工作才有機會增加，但亦有機會「投資」不當而減少，例如入錯沒有前景的行業或只學習對事業沒幫助的知識等。至於另外五種資產，則可以按個人意願而調配，但配置及比例方面會受很多內在及外在因素影響，而一般人很多時候，會專注在如何運用手上資金創造更多金錢財富，即是會將大部分注意力放在投資資產上。

6類個人資產

人力資產

流動資產

投資資產

房地產

退休資產

承傳用途資產

29

我認為如果未能同時管理好其他資產，就算投資資產表現有多好，都有機會因一些預算以外的事情發生導致要被逼套現或是在低位套現資金，例如面對患病而要錢治療，或是親友急需資金周轉而你又想幫忙而變賣資產。要減少這類問題導致的影響，大前提是需要管理好流動資產，因有充裕的流動資產便可以應付突發性而可承擔的短期資金需要。

我在四桶金系列理財書籍中已提及，第一項必須準備的資金便是應急錢，即流動資產，一般常用的參考指標應該以日常

支出計算，例如一個家庭每月需要支出3萬元，當中包括家庭常有支出、按揭還款、家中各人的生活需要，還有其他家人的家用等等，以流動資產用作應付周轉需要，應等同最少6個月日常支出，以這個例子來說，便應該是18萬元（6x3萬元）。已到退休年齡的家庭成員，需要更多的流動資金，一般等同一年至兩年的日常生活需要支出的金額。原因是已沒有工作入息來源，需要有較多的儲備。

家庭必備應急錢（即流動資產）

一般家庭：等同最少六個月家庭開支

（如每月支出3萬元，應急錢便需3萬元×6個月＝18萬元）

已到退休年齡的家庭：一年至兩年的家庭開支

甚麼資產屬於流動資產呢？根據香港財務策劃師學會《核准退休顧問》（QRA）課程內容指出，現金或其他能夠容易套現的項目便屬於流動資產，例如銀行存款。除了銀行存款外，現時有不少其他現金等值的資產可以考慮。另一方面，根據投資及理財教育網站Investopedia的定義，現金等值的資產包括股票、短期政府票據，基金和貨幣基金等。但我認為這個定義忽略了流動風險，根據流動風險定義，假若資產在轉換為現金時，有機會出現價格大幅改變，這並不屬於流動資產，所以我不認同股票和債券等等的投資，甚至是相關的基金屬於流動資產。

針對香港來說，我認為港元或美元的貨幣市場基金、短期政府票據、三個月內到期的定期存款，還有大額存戶所能安排的銀行存款證等等才屬於流動資產。這些現金等值類資產和存款能夠符合流動資產的定義的同時，亦代表他們的資本增值潛質相對較低，所以保存過多的流動資產未必是好事。

流動資產類別

銀行存款

港元或美元貨幣市場基金

短期政府票據

三個月內到期的定期存款

銀行存款證

一般情況下，如擁有超過這個金額的存款，便可以考慮運用在其他地方，為不同階段的目標需要而儲蓄或投資。擁有適當比例的流動資金的另外好處，是當市場出現吸引的投資機會時，也有資金去投資，減少錯失機會及減少需運用有利息成本的信貸。例如我在 2020 年 1 月底時，便因為留意到恒生指數在短短兩天下跌了 1,500 多點而決定買入一些有實力而又下跌了不少的股票，結果股市在 13 個交易日後便收復了這跌幅，令我賺取了一些利潤。不過大家要清楚這是一種投機行為，如獲利後不果斷離場，可能最終又打回原形。由於我有足夠流動現金及一向有留意一些股票的走勢，加上預算萬一買錯了也有實力能夠繼續持有，不影響日常生活，才有這決定。這亦帶出另一理財重點，便是作出進取投資決定前，必須要準備好不同的資金，應付未來中、短期的支出需要，並安排適當保險保障，管理不知何時會出現的「生、老、病、死」等個人風險。

家庭債務
有好壞之分

不論是國家或是一個家庭，一般財政危機出現的原因都是和借貸有關，根據香港金管局的報告，一般家庭債務分為三個類別，分別是住宅按揭貸款，信用卡債務和其他私人用途的貸款。直至2019年第三季，家庭債務佔GDP比例大約為78.5%，相比澳紐，南韓及一些歐洲國家，包括英國，都較低，但已超過美國，所以整體債務上，香港家庭應該要注意存在風險。

家庭債務 3 大類

| 住宅按揭貸款 | 信用卡債務 | 其他私人貸款 |

另外，這是一個總數，針對個別家庭，可能會因為債務原因而導致周轉出現問題，如資不抵債或未能償還借款，將會導致更嚴重的後果。因此家庭理財之中，收支管理內必須要考慮債務管理。

怎樣決定家庭債務水平是屬於安全或是危險呢？簡單來說，假如每月家庭需要清還債務的金額已佔家庭總入息的大部分，這絕對是非常危險的情況，相反，如果只是在家庭入息的25%或以下，相對較安全，但亦要考慮是否有足夠流動資金，因為不論債務水平多少，都是假設有入息能夠償還債務，但面對收入減少或失去時，債務仍然是要償還的，因此必須要有足夠流動資金作為應急需要。

債務亦分為好債和壞債，好債是能夠透過借貸而幫助提升家庭生活質素或財富水平，壞債是一去不回，大部分是用在花費上，代表錢用了卻沒有任何能留下的資產。

好債Vs壞債

好債：能提升家庭生活質素和財富水平

壞債：一去不回的花費

針對提升家庭生活質素的花費和只是短期令你開心的消費都是用錢，應怎樣分呢？有些專家提出，提升家庭生活質素的花費是過了一段不短時間後，所購買的物品應仍然存在，例如購買一些家庭用品，如電視和電子產品等。而其餘花費，例如外出用膳，時常乘坐的士，或是時常去旅行等，這類花費並沒有任何實質物品能保留下來。兩類型的花費都用了錢，但帶來生活質素改變的時限有很大的差別，第一種能夠維持一段以年計的時間，第二種是一次過很短時間的開心，當然亦能夠帶來美好回憶，但當資金有限而透過借貸來製造美好回憶，對整體家庭財政來說存在或提升風險，需要審慎控制支出和應佔收入的比例，將於第二章提到的「631 法則」便是其中一種參考法則。

怎樣區分值不值得花費？

提升家庭生活質素的花費例子：買家庭用品，如電視和電子產品

短期開心的不必要消費例子：外出用膳，時常坐的士，時常旅行

一個家庭組合期望能經歷的時間應是以十年為單位來計算，期間有機會因家庭成員的增加或減少而出現改變，但無論如何，如果只為今天的開心快活而花費，甚至透過借貸來提升生活水平，未來將需要花更多的資源來應付借貸的成本，即是利息，還有是沒有為未來而儲蓄，便不能夠有更充裕儲備作未來的花費，所以借貸是一種針對短期現金流需要的安排，但亦有例外。

大部分家庭主要的借貸都是和買樓有關，根據金管局的資料，近六成家庭借貸是和按揭還款有關，這種安排一般需要長時間，可以達到30年或以上，所以這類型的借貸並非短期安排，在決定是否這樣做之前，必須考慮清楚是否有足夠的

儲蓄用作應付一次過的付款，越能夠支付大額首期，越能夠減少未來借貸的需要，即之後的定期還款；另外，衡量是否要借貸時，亦需要考慮未來的工作收入是否穩定，始終長期還款是必須的責任，如沒有穩定的收益會增加風險。

另一樣要注意事項是現時的借貸途徑比較以往先進和簡單，簡單地只要透過手機便能夠很容易地借到錢，越容易借錢，便越能提升借錢的動機，但還錢能力並非受科技影響，而是關於家庭和個人的人力資本及其他資產的表現，這些都不能夠短時間提升，所以不要被容易安排的資金周轉吸引而借貸，最重要都是考慮需要。

也有人會運用貸款作投資，期望提升家庭財富組合回報，這

種做法也屬正常，但要注意的事情是兩個息率的關係，即是借貸息率和收益利率。假如兩個息率相差不大，例如借貸需要3.5%年利息，但回報收益只有4.0%，這種借錢來賺錢的方法實際效率並不高。那是否應該借錢來做進取投資呢？我不鼓勵這種做法，原因是進取回報的相反是大額損失，可能支出只有3.5%，但回報可能是-10%，到時不單止需要支付借貸利息，還要承擔投資失利，當損失了的資金要靠餘下的資金追回及本金因支付利息而減少，難度便會提升不少。

所以是否要透過借貸來投資，應該要起碼有2%息差的回報才考慮，除此之外，選擇資產亦很重要，應選擇一些表現較平穩的投資工具，當然需要持有的年期亦需要同時考慮。我有部份借貸是用作購買儲蓄保險，原因是儲蓄型保險的好處是持有期越長，其保證加上非保證回報的總和有機會越高，所以我借錢的原因是可以幫助提早開始長線儲蓄計劃，期間支付的利息是早開始而增強投資回報的複式效應的成本。

應否借錢來投資？

至少有2%息差回報才考慮！

慳出個未來

根據美國理財專家Dave Ramsey的建議，家庭預算可以分為11個類別：

 居住成本 25%

 家庭必須支出 5-10%

 食物 10-15%

 交通 10%

 儲蓄 10%

 健康相關支出 5-10%

 保險保障 10-25%

 娛樂 5-10%

 捐獻 10%

 個人支出 5-10%

 其他項目 5-10%

我相信很多第一次接觸規劃預算的人對這個分類預算做法的感覺都是知易行難，現實是儲蓄永遠都是困難，因人的習性是用錢便高興，減少用錢總會不高興。

要較容易處理這事情，不妨利用一些市場上的免費手機程式幫助，當你習慣了輸入，便更清楚知道自己的情況，如果不能有盈餘而進行更多消費或是投資，整個家庭的風險都會提升。

試試用手機程式幫自己習慣理財

手機程式例子：積金局手機APP：「樂享退休GPS」

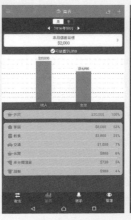

今天不儲蓄，將來沒積蓄！沒有資金，任何計劃都不可行，所以想著美好將來的時候，今天便要用盡一切方法儲備資金。美國一位知名理財教育博客Miriam　Caldwell總結了100種令人可以慢慢累積金錢的方法或技巧，雖然有些並不適用在我們的環境，但有可能啟發大家在日常生活中如何能夠慳出個未來，所以不妨看一看，想一想，並寫下你的個人化慳錢清單。

20種節省食物有關支出的方法

1 多在家煮飯

2 購物前先準備清單

3 使用菜單設計服務 (香港可能沒有)

4 留晚餐做午餐或在家準備愛心午餐

5 每周或每月在家煮飯一次，適應在家用餐

6 使用優惠券並在減價時購物

7 到優惠店用低價購物

8 購物時多行幾家店市，找尋最低價

9 在非本地人士開辦小店購買廉價香料及特色食品

10 經常使用物品一次過大量購買

11 不買獨立包裝物品

12 注意物品不同包裝的平均單價，不一定最多件最平

13 外出用餐時光顧有優惠券餐廳

14 光顧熟客有較多優惠的餐廳

15 從網站或手機 App 獲取餐廳折扣

16 加入烹飪合作社，和朋友交換菜餚 (香港可能沒有)

17 直接光顧農墟，或和鄰居一起購物，享大量購買折扣

18 確保雪櫃容量可以儲存更多食物

19 避免只為購買一、兩個項物品而去超市，因會有衝動購買更多

20 嘗試商店品牌，有些是價廉物美選擇

20種從每月賬單節省支出的方法

1 用慳水花灑及坐廁

2 選用便宜手機通話計劃

3 多看免費或便宜收費電視節目

4 夏天時適當控制冷氣機溫度

5 防寒時利用適當材料密封窗戶，減少用暖爐電費（香港較少機會）

6 如用熱水爐，可以用毯包裹保溫（小心引起火警！）

7 安裝預設恆溫器，不在家時減少因維持溫度支出（香港未必適用）

8 購買家庭電器時要注意能源標籤

9 考慮安裝太陽能或風能發電系統，享受電價優惠

10 增加保險計劃的免賠額，並預留金錢應付

11 注意家居有關保險產品的優惠，價錢適合可考慮轉換

12 運用專業協會等會員優惠購買保險（但要了解是否符合需要）

13 使用保單的網絡醫療服務

14 進行醫療所需療程前必須獲得保險公司核准

15 注意身體狀況及定期做運動，幫助節省現在和將來的潛在醫療費用

16 如需要租住地方，可考慮找人分租（較適合單身人士）

17 供樓可以節省稅款

18 申請自動轉帳付款，避免遲交罰款

19 多用免費方法做運動鍛練身體，例如慢跑

20 可考慮取消固網電信

20種節省娛樂費用的方法

1. 去圖書館看書或網上看電影
2. 在家看免費電影
3. 看早場電影來省錢
4. 與朋友交換或夾錢購買遊戲玩
5. 到圖書館或社區會堂等地方看平價或免費電影
6. 參加自己地方舉辦的節日慶典
7. 參加本地舉辦的免費音樂會
8. 多行山遠足
9. 可考慮去郊外渡假村渡假，有裝備亦可以考慮露營
10. 可以和朋友在家中相聚，減少外出花費
11. 玩桌上遊戲不用花錢
12. 可以利用業餘愛好賺錢，例如在網上出售自己做的工藝品
13. 靜觀、冥想，令心境平靜
14. 如可抵住誘惑，可逛街而不購物
15. 做義工，有意義又可結識新朋友
16. 參加社區中心興趣課程，學習可以幫助省錢的技能
17. 可選擇有贈飲或快樂時光時光顧酒吧
18. 參觀免費博物館
19. 享受「宅渡假」
20. 在本地體育館做兼職，以福利價觀看體育賽事

20種在購物時可省錢的方法

1. 僅在減價時才買，尤其是貴重物品
2. 使用客戶會員卡可省錢，並賺取積分
3. 購物時先看清貨減價貨品
4. 好好運用別人給你公司員工的購物折扣優惠
5. 購買超過100美元的物品前，先等24小時
   （可以轉用500港元或1千港元）
6. 擔心消費超支，可用現金或EPS購物
7. 定期進行禁消費期，例如每三個月便有一星期不消費
8. 了解銷售周期，知道何時是最佳購買時間
9. 在寄售店或二手店購物以省錢
10. 使用網店尋找商品折扣
11. 參加交易網站，以便知道需要的商品的最新成交價
12. 購買所有商品都以現金支付，避免支付利息
13. 不要在有壓力或沮喪時購物
14. 當每次購物時都用低於預算金錢，要獎勵自己
15. 購買貴重物品時要先計劃，直至可以以現金全額支付才進行
16. 網購商品比到店舖購買便宜，每月一次過購買更可節省運費
17. 到一些放售家居舊物品的地方尋寶
    （香港少有這類做法，名叫Yard Sales）
18. 和其他人以物易物或服務
19. 購買前，先確保有需要
20. 購買時，例如買貴重電器，要同時考慮質量和價錢，
    不是「以為」，需要做研究，看評論

20種處理個人財務時可以省錢的方法

1. 設定預算
2. 利用轉按降低按揭還款利息
3. 借貸要多比較，節省利息
4. 在最低收費的銀行開戶口
5. 取消收費用的信用卡
6. 停止支付信用卡利息，努力盡快擺脫債務
7. 未脫債前，將債務轉去最低息的信用卡或戶口
8. 利用手機日曆App提醒，確保按時付款
9. 確保支票賬戶有錢，避免因透支而支付利息或彈票而收手續費
10. 運用適合自己的預算軟件或手機App，幫助更有效率儲蓄及用錢
11. 充分利用僱主會提供配對供款的退休儲蓄計劃
12. 僅用現金支付，因會更加注意價格
13. 嚴控你的個人信貸評分，可以減少借貸時的利息支出
14. 能力許可下，買樓時可多付首期，減少利息支出
15. 調整您的應急儲備，以便有更充裕的資金可運用
16. 設置緊急資金，避免因突發性資金需要而用信用卡透支
17. 使用網上銀行賬戶，有機會利率較高
18. 保護儲蓄，令金錢可以長線增長
19. 如果不可以每月還清簽帳額，不要用信用卡
20. 如果不可以每月還清簽帳額，不要貪簽帳積分

你也試試做出你的個人慳錢清單吧！

Chapter 2

保險 ——
買時用不著，
用時買不到！

意外，
就是意料之外

買時用不著，用時買不到！相信不少人知道這便是保險保障的特性，為家庭的未來累積財富前，先要在今天為家人妥善安排保險保障。

和大家談保險作為家庭風險管理的一部份之前，先和你分享一個有趣的研究。這研究是 2018 年時在《經濟行為及組織期刊》中發布，是兩位屬於英國諾丁咸大學經濟學院的學者所做的研究。研究訪問了 2,000 多位不同年紀及背景的人士，當中有四成屬於 55 歲或以上的受訪者，而由 20 多歲到 40 多歲的不同年齡層各佔大概兩成。在研究之中，受訪者會針對一個提問而作出回應，問題如下：

假設你現時需要支付一筆大額金錢，用作購買一項之前沒有預計的物品，價值等同於一個月的家庭入息，你會怎樣安排資金來支付呢？

以下是研究中提供的答案選項：

1 從銀行戶口提款支付
2 從目前的儲蓄或投資計劃中套現支付
3 透過借款支付，包括透支銀行戶口 尋求朋友或家人的幫助
4 其他方法，例如做兼職賺取額外收入，
5 變賣資產或減低現時支出等
6 沒有方法找到資金
7 不知道

想一想，
當這情況發生，
你會怎辦？

以下表格總結了受訪者的反應及所佔比例：

答案選項	選擇人數	所佔比例
1	163	8.01%
2	888	43.61%
3	230	11.30%
4	198	9.72%
5	146	7.17%
6	221	10.85%
7	190	9.33%
總計	2,036	100%

資料來源：Gathergood, J., & Wylie, D. (2018). Why are some households so poorly insured? Journal of Economic Behavior and Organization, 156, 1-12.

從提供的答案來看，第一及第二的選項都是運用現有的家庭資源，亦即會選這兩個選項的受訪者，都能夠有相關資源騰出來應用，而其餘選項都反映受訪者未必能立時有多餘資源支付，其中尤以第六及七項的選項最教人無奈。

從以上的圖表中，大家可以看到只有51.62%的受訪者能夠

調動現有資金或資產來支付這個突如其來的支出項目，有20.18%受訪者不知如何是好。

另外這個研究還有兩個結論：

I. 研究結果反映理財能力偏低人士，面對這類突如其來出現的支出較大機會沒有能力應付。

II. 財政狀況較脆弱的家庭，面對這類支出挑戰有較大風險，反映他們並未為有機會面對的風險做好管理。

我分享這個研究的原因，是希望令大家明白，我們需要為生活計劃，但亦有機會面對一些突如其來的事件而導致生活上手足無措，而剛提及的研究指出，只有大概一半人有能力面對等同一個月家庭入息金額的突如其來的支出，有21%的受訪者可能要透過借貸來應付，還有些人未能應付。

根據這研究結果再進一步說，便是保險保障的重要性，若然家庭經濟支柱因意外而導致早逝，家庭便會即時喪失入息，但支出並不會停止，那如何應付呢？又或是因意外或疾病而導致要入院接受治療，不單止有機會即時失去工作入息，更需要應付龐大醫療支出。若沒有任何儲蓄或資產，又如何

可以應付這些使費呢？這章的標題：「買時用不著，用時買不到！」便是想指出保險產品主要是在未有任何事發生前購買，用作應付未來當風險出現時的支出。沒有人希望面對風險，但現實往往有些風險並不能夠逃避，亦不知道何時會出現，古人說：「能知三日事，富貴萬千年」，便是這個意思，所以一定要將適當資金撥作管理風險的成本。

在不同的人生階段或家庭成員角色，保險的需要亦會有分別，但不論哪階段都需要人壽保險、醫療保險，危疾保險和意外保險，分別主要是保障額、保單類別，負擔保費能力和是否期望有收益等，而在職人士會有投保傷殘入息保單的需要，人到中年或以上亦要考慮長期護理保障的重要性。

為債務和責任
而需要人壽保障

人壽保障的主要用途都是為投保人所關心的人和事提供未來入息。當你感覺到對其他人要負上責任時，便應該有人壽保障，萬一因意外或疾病而早逝而責任未完和債務未還清，便能夠由保險公司接力，以人壽保單的死亡賠償形式提供資金，繼續投保人未完的工作。責任最大的階段應是人到中年的家庭經濟支柱，需要養妻活兒及供樓，萬一要離開，家人不但傷心，更要面對經濟危機，所以保障額是最重要的考慮，如想控制保費支出，可以選擇儲蓄成份較低的保單。

當活到50多歲，一些基本責任，例如為孩子供書教學，償還居住物業的按揭貸款，為父母提供退休入息，還有安排家人的持續生活需要等等，可能有一些「項目」已經望到家鄉，萬一早逝，相對較年青時的財政需要，責任應該少了一截，

55

所以從保障角度來說，為不同人生階段的責任而購買的人壽保險的重要性會隨著年紀增加而降低。

我在大學畢業後便購買了人生第一份人壽保單，之後到結婚，孩子出生和成長，由於家庭責任增加，我亦增加了人壽保障額和保單，現共擁有六份人壽保單，保障額大約一千萬港元，保單種類包括定期壽險和終身壽險。

對一些在後期人生階段才需要的責任，終身壽險能夠提供很好的槓桿效果，例如在自己過身後，希望能為社會做點事或為一些關心的人繼續提供財政支援，像為一些需要幫助的孩子和長者成立慈善基金，又或是為了比自己年幼十多年的伴侶提供生活費，又或是為子孫安排生活費等等。當你有這些或類似想法，便應考慮保存合理保障額的人壽保單，而只適宜退休後不用再供款及保障到100歲或以上的人壽保單，所以在這階段，定期壽命可能不是最佳選擇。除了投資需要組合，保險也需要一個組合，確保可以應付不同人生階段所面對的個人風險。

人壽保險，醫療保險和危疾保險都有同一特性，便是相同保障下，愈年青及愈健康開始購買，保費便愈便宜。但申請人壽保險時需要經保險公司核保，所以都是趁健康和年青便要為將來做好安排，免增加無謂的成本，反正人壽保單的結構和條款較直接和簡單，不用太多思量。

醫療保險
分三類

一般醫療保險的保障包括三大類，分別是住院醫療計劃，住院現金計劃和門診醫療計劃。住院醫療計劃再細分包括住院費用，例如住房費，膳食費，雜費及深切治療費用等等，還有其他的收費包括私家看護，與手術有關的則有外科醫生費用、麻醉科醫生費用及手術室費用等，而離開醫院後的跟進服務亦有保障，另外有些醫療保險計劃亦會包括全球的支援和保障，保單收費一般跟選擇的病房類別有關，如感覺基本計劃覆蓋不足，亦可以考慮附加的額外醫療計劃，不同保險公司提供的醫療計劃各有不同保障，就算保障一樣，保障額亦可以不同，所以不可以單憑所需交的保費決定哪一份保單最適合自己。

從實務角度考慮購買醫療保險，需了解清楚一些個人需要，包括：

- 個人身體狀況，例如是否時常要看醫生和有否一些會影響保險公司考慮接受投保的已存在疾病或身體問題；

- 保費預算，這可能影響計劃的保障範圍，金額和自付額等；

- 是否有其他保障，例如公司團體醫療計劃或家屬計劃等。

2019年4月1日開始，食物及衛生局推行一項新政策，批准私人保險公司推出自願醫保計劃，自願醫保的產品必須遵守計劃所訂的規則，包括產品合規要求及實務守則。另外，自願醫保設有特惠稅務扣除，納稅人為其本人或指明親屬購買

自願醫保計劃下的認可產品，可申請稅務扣除。如納稅人或其配偶是自願醫保下認可產品的保單持有人，將可就支付購買認可產品的保費申請稅務扣除，認可產品之受保人應為納稅人本人或任何指明親屬，包括納稅人配偶及子女、納稅人或其配偶的祖父母、外祖父母、父母和兄弟姐妹。假如你家中各人不幸健康出問題時，你都需要在財政上支援，那麼自願醫保便是一個可以幫你減輕部份負擔的安排。

自願醫保參考資料連結：

https://www.vhis.gov.hk/tc/about_us/scheme.html

但大家要切記，購買保險強調的首要不是平或貴，或是否「抵買」，而是能否配合你的需要，和保障是否足夠。

危疾保障
種類多

醫療保險一般以實報實銷為賠償原則，住院現金算是一種額外的收益，但當受保人患上一些疾病或某些治療是保單條款上列明不保事項，或是已超越保障水平，醫療保險的功能便到此為止，便有機會要動用受保人的個人儲備支付其他支出。所以醫療保險以外，亦應該有危疾保障。

若受保人被確診患上有關保單承保的疾病時，保險公司便會根據保障條款賠償一筆現金給保單持有人，而現時的危疾保障類別相對以往更多，有分為有儲蓄和沒有儲蓄類別，也有分為單一賠償或是多次賠償，亦有針對個別疾病的危疾保障，例如癌症危疾保險。

每種產品出現都有其原因，多次賠償的安排是因為投保人擔心有機會舊病復發，亦有人擔心「福無重至，禍不單行」，多

於一種危疾出現在自己身上。針對指定危疾才能獲償的危疾保險單是針對一些更大機會發生的危疾作保障，例如癌症，一方面令投保人感覺「用得著」的機會較大，另外亦因為保障範圍收窄而令到保費有機會降低。除此之外，危疾保險亦可以分為不同供款期和保障期。從小便安排危疾保障的好處是年紀輕的投保人相對保費平了很多，所以有家長考慮為孩子在未成年前便供完一份危疾保單，為孩子的未來做好保障。

傷殘入息保險
保障在職傷患

這類產品通常是保障投保人在職期間因傷患、意外或其他可保原因導致傷殘而喪失收入的計劃，所以一般可投保的年齡通常是由成年18歲到55歲左右，而保障期是到退休前，約60至65歲。而補償的金額視乎投保時的收入而定，通常是根據每月的收入的一個百分比計算而支付，約60%至70%，保障期可以只是一至二年，或直到65歲等。

傷殘入息保障保單的主要用途都是在退休前階段的資金應急為主，投保時需要考慮的問題包括保障額，保障年期，保費，工作性質，是否只保障原本職業，等候期和有否局部賠償等等。詳細情況可以參考不同保險公司的產品說明書。

長期護理保險
顧及家人需要

一般病痛所需要的照顧時間和金錢較容易預算，但面對患上長期病的人的照顧，預算會較困難，不單如此，對家人的困擾亦會較多，包括缺乏對照顧患病家人的知識及技巧，可能要放棄工作以照顧患病家人，感覺焦慮及疲憊，還有很多心理上的問題，處理不善甚至令照顧的人會患上不同的疾病。所以長期護理不是一個人的事，是影響一家人的事情，家人關係好的亦可能因處理不好而令關係變差，因此考慮是否要長期護理保險的時候，考慮的不應是付出多少保費及有多大機會得到賠償這麼簡單，還要考慮對家人的影響。

一般長期護理保險的受保人如喪失進行日常活動的能力時，便會獲得每月發放的賠償，金額和收益期按計劃而定，賠償金可以用在私家看護，居家護理和補助院舍費用等，視乎計

劃條款而定。亦有些會包括免費醫療檢查，其他有的附加保障還有人壽保障和豁免保費等。若被保人不幸身故，指定受益人將獲得先前已協定的身故保險賠償。另外，若被保人被證實符合獲得賠償的條件後，日後要繳交的保費可以獲得豁免。

購買人壽保險
有「最佳時刻」？

全球四大會計師事務所之一的德勤在 2015 年發出了一個研究報告，是有關一般人在甚麼時候會強烈考慮人壽保險的重要性，報告指出有四個階段我們感覺人壽保障的需求最大。

（一） 根據報告，當一對夫婦談論到有關孩子的話題時，便很容易聯想到人壽保障的重性。

所謂「有關孩子的話題」是一些令他們感覺開心，但責任亦增加的時刻，主要是討論「做人」計劃時、孩子剛來到家庭時、還有是孩子到達某些人生階段時，例如第一天開始自己步行和第一天上幼稚園等。

（二） 第二個時刻令人想起人壽保障的重要性是作出有關買樓的決定的時候。

當你第一次置業時、獲悉銀行批出按揭時、或第一次償還按揭款項時，都會想到人壽保險的重要性，因為當一家之主沒有等同於銀行貸款額的人壽保障時，萬一自己不幸早逝，這個債務便由家人承擔，可能要即時償還！如沒有能力即時清還所有貸款的話，銀行便會收樓及拍賣套現，如收回款項不足以支付貸款，家人可能要負擔差額，這是否負責任的人想見到的結果呢？我見過不少的理財個案的主角是物業持有人，他們並未有購買足夠人壽保障，對沖因早逝而無能力償還貸款的風險，貸款額隨時是數百萬至過千萬元。問到原因，主要是不知道，或是沒有清楚了解後果的嚴重性而忽略了。當我和他們仔細解釋後，很多都明白這是要立即做的計劃，因風險發生前很多時是不會有任何預告的，又或是平常我們根本不會留意到風險，所以人壽保險是一種補救計劃，期望能降低可保風險所帶來的潛在衝擊。

（三） 當家庭財政狀況出現改變時，亦是明顯會考慮人壽保險的需要的時刻。

家庭財政狀況影響對人壽保險的需要的原因主要是和支出有

關，包括增加了要在金錢上照顧的家人，還有是發生了大額金錢支出。這類支出影響了現有和未來可儲蓄的金額，憂慮自然會增加，當聯想到自己有事而不希望影響了關心的人，最簡單的做法便是購買人壽保障。

(四) 共諧連理，人壽保險不能無準備。

當身旁多了一個伴侶，一加一不是等於二，是等於一生一世。雖然今天的離婚數字也很嚇人，但我相信當兩人決定一起邁向人生新階段時，都不會想著分開的。而最早因婚姻而想著需要增加人壽保障的時刻是當對方應承一起的時候，相信那一刻代表人生的新階段開始，亦代表要對雙方負責任的開始，所以購買一份以對方為受益人的人壽保單也是理所當然。之後便是大家一起開始生活及共同面對生活支出時，由於明白家庭是二人一起經營的，任何一方有事而離去都會影響大家的生活，所以更加要計清楚大家的人壽保障額，最後便是考慮將來需要時，因不知未來數十年會有甚麼變化，所以也要計清楚未來的需要及萬一不能一起面對時，怎樣利用人壽保單繼續履行與對方的山盟海誓！

明顯有需要，
亦明顯有保障缺口！

雖然我們都有保險保障的需要，但並不代表所有人都一定會作出購買決定。從不同的統計數字亦反映到，人壽保險保障缺口是全球性的問題，我相信出現這現象的原因，主要是因為保險是一些較為虛無縹緲的安排，並非所有人都有足夠認知有甚麼風險和怎樣管理風險，所以大部份人當考慮財務需要時，都會先想今天的需要，而人壽或醫療保障都是為未來潛在的支出作安排，自然會被排在較後位置，因此，我們需要了解自己有甚麼和多大保障缺口。

根據香港保險業監管局在 2019 年公布的香港保障缺口（身故風險）研究指出，根據香港在職人士的平均年薪計算，他們每人平均背負 5.4 倍年薪的保障缺口，以金額計算，平均保障缺口約 167 萬港元。要知道自己的缺口是多少，需要認真

評估現時資產及責任。人壽保障的需要包括兩部分，分別是責任和債務，責任包括自己對家人未來的財政安排，例如子女的教育開支，家人未來的生活費和醫療開支等。債務最簡單但金額明顯較大的便是按揭的借貸額，除了了解債務和責任，亦要知道現時有甚麼資產可以用作填補保障缺口。自住物業是不會考慮為用作填補保障缺口的資產，原因是不論家庭經濟支柱是健在或是早逝，家人都仍然有居住的需要。

本港人士的平均保障缺口

5.4倍年薪，約167萬港元！

評估自己的保障缺口：可變賣資產 – 責任 – 債務

可變賣資產包括：可投資資產、退休計劃累積金額、人壽保險等等

責任：子女教育開支、家人未來生活費、醫療開支

債務：按揭借貸

一般計算在內的資產，包括可投資資產及退休計劃累積金額等等。如果已經擁有人壽保險，亦要計算在內。當保障需要扣除可運用資產後，得出的便是保障缺口。而這個缺口隨時間及人生階段轉變亦有變化，一般出現最大保障缺口的時間是在人到中年的階段，原因是有子女的仍在求學階段，物業

仍未供滿，生活質素亦因收入及要求提高而提升，即是要增加日常生活費，所以種種潛在支出和債務構成較大的保障需要，假若沒有增加人壽保障安排，保障缺口自然較大。而當到退休前5至10年，很多責任應該大部份已完成，基於責任而購買的人壽保障當然可以減少。所以應該定期檢討保障需要，有需要時亦應作出適當調整。

開始退休不代表不需要人壽保險，特別是希望自己能夠在未來，為家人及其他仍然關顧事項繼續出一分力，例如繼續捐款到慈善機構或是為曾孫提供教育基金等，人壽保障便是一個很好的安排。這部分在退休規劃章節會再詳細分享。

除了人壽保險出現缺口，醫療保障亦有同樣情況，根據瑞士再保險公司的瑞再研究院的報告指出，香港和中國都有健康保障缺口，他們定義這個金額等同於造成壓力的自費醫療支出和因支付能力而未治療的費用的估值的總和。報告指出，導致出現健康保障缺口的最大影響因素，是有家庭成員患有慢性疾病，而中等收入家庭的健康保障缺口佔比例最高，中國的家庭中有47%慢性病患者，香港有48%，而這個健康

保障缺口佔香港平均家庭入息金額的11.9%。除了金錢以外，情緒上和時間上亦是一個問題，當要照顧長期患病的家人時，這三方面都需要兼顧。所以處理這問題時，需要從多方面考慮，金錢上的問題，最簡單的安排便是購買保障全面的醫療保險，亦要盡早安排，把握身體健康狀況理想時購買，否則將來有機會不獲保險公司接受投保。而情緒上的困擾，便需要學習正向思維，亦要接受沒有人能夠掌握及控制所有事情，而根據報告，其中原因導致健康保障缺口增加的因素，便是一般人感覺自己健康狀況良好的過度自信。由於存在這種過度自信的想法，令很多人未有注意生活習慣，例如飲食上，或是生活作息和定期運動等都欠缺規律，長期維持不當做法，令身體健康狀況變差。直到問題變得更嚴重時才求醫已經令醫療支出增加，甚至問題難以根治。報告亦提到，出現最大保障缺口的階段屬於中年家庭及老年家庭。

保障和保費
應怎規劃？

為了令各家庭成員將來都可以健康地發展，適當的保險保障是必須的，但安排時又應怎樣預算呢？我會和大家分享一些坊間常見的做法。為了令一般對保險保障規劃不甚了解的人士能夠容易跟隨，所以不少媒體都喜歡刊登一些易於記住的法則作為參考，當然這些法則只是參考，大家的個人背景和想法都可能不同，必須有專業保險顧問協助才能規劃最適合自己及家人的保險安排。

(一) 4321 法則

這種做法是假設將現有資產分做四部份，40% 放在穩定收益資產，30% 在進取資產，20% 在保險規劃保費，10% 在應急資金。

這做法和我的「四桶金」系列理財書之中提過的概念類似，但相比四桶金系統，4321法則的問題是並未有考慮不同人生階段的需要，所以我建議你運用四桶金的做法，再配合100法則，詳細資料可以參考我之前出版的《四桶金富足退休指南》及《四桶金投資快上手》。

(二) 631法則

這種做法是將收入分為三部份，60%作為日常支出需要，30%作為投資及儲蓄，餘下的10%是用在保險保費中。不論4321法則或是631法則，保險保費支出是指用在保障類

保險的保費，主要是人壽保障、意外、住院和危疾保險等，假若你會運用保險產品作為儲蓄工具的話，這個百分比並不包括收益類保險產品的保費，有些產品能夠同時兼備保障和儲蓄的特性，但在決定購買的保單是屬於保障還是儲蓄為本前，應該先決定需要多少的保障額，假若人壽保單中大部份資金用作儲蓄，即代表保障可能不足夠應付未來的債務和責任，所以這部份應該先以保障先行，假如資金不足以同時應付保障和儲蓄需要，便應該考慮加入定期壽險或一些儲蓄成份較低及供款期較長的人壽保單在壽險保單組合中，因定期壽險沒有儲蓄成份，能提供的人壽保障額相對大得多。

(三) 雙10法則

這法則是應用在購買人壽保險，意思是所支付的保費應控制在入息的10%以內，而保障額應該等同於受保人全年收入的10倍。

大家要切記，以上三種法則只是一些容易記得的做法，並非學術研究的結論，就算是理論，亦不一定適用於個別人士的

家庭狀況，所以不能夠盲目運用。舉例在應用雙10法則時，如果保障金額只是家庭經濟支柱年薪的10倍，代表是安排了一個未來10年有確定收入的安全網。但假若家庭中有成員需要被照顧超過10年，這筆萬一需要的資金便不足夠。例如一個3人家庭，只有爸爸工作，媽媽要照顧剛剛出生的孩子，假若丈夫只購買了等同他現時年薪10倍的人壽保障額，而他不幸在一次交通意外中逝世，保險公司賠償的金額只能夠應付今日的生活水平的10多年的需要，未來孩子的教育規劃和因通脹而增加的生活費都未計算在內，整體金額實在並不足夠。

所以我建議的是，不論甚麼原因，令你未開始管理個人及家庭的風險，今日便必須立即進行，因風險無處不在，亦不知何時發生，到有事才安排便做不到。而當要安排時，亦要針對保障和保費兩方面考慮，保障是根據今天真正支出及估計未來的需要而規劃，亦要考慮通脹的因素，而保費通常根據目前的收入作預算，一般消費型保險，以保障為本的安排，佔入息的比例應不超過15%，而所有保險保障都必須要檢討，人壽保障方面，可以根據人生階段及人生事件而檢討，

例如家庭增加了成員，又或是增加了責任，例如剛買樓而需要向銀行借款，便要還款人增加人壽保障額。相反，當債務和責任降低，便有機會調低人壽保障額。至於和醫療相關的保險方面，平均五年便要檢討現有保單的保障。在職人士亦應該運用可以扣稅的自願醫療保險幫助降低負擔。

保險Tips!

一般消費型保險，以保障為本，佔入息比例應不超過15%。

和醫療相關的保險，平均五年進行檢討。

在職人士可運用可以扣稅的自願醫療保險降低負擔。

Chapter 3

子女教育開支
要精打細算

養兒
計計數

時常聽到家長說，要孩子贏在起跑線，在競爭激烈的環境下，這種心態亦無可厚非，家長一般認為，孩子越早準備，越能夠提升競爭力，將來的人生跑道自然會跑得更理想。

但我要提醒家長一件事，便是要了解究竟人生是一種怎樣的比賽！如果人生如跑道，是屬於短跑或是長跑呢？甚至是否馬拉松呢？相信不少人都明白要孩子成長及獨立，可能是20年或以上的時間才能發生，所以我堅信這絕不是短跑，相反是一種超長馬拉松。另一方面，有否聽過人說跑馬拉松的選手會在一開始起步時便出盡洪荒之力，最後又能夠贏到冠軍呢？所以當你決定投放大量資源到孩子身上，期望他們贏在起跑線前，是否已做好心理準備，會在後期投放更多的資源去培育他們，確保在整個學習階段都有足夠資金呢？

由參加playgroup到完成大學，是20年以上的時間，看著孩子成長是非常開心的事情，但在同一時期，投放的金錢是以過百萬計。我在平常講授子女教育基金規劃課程時，都會問學員一個問題，便是：「要養大一個孩子，直到完成大學，需要多少錢？」一個標準答案總會聽到，便是400萬元，當然這不是一個小數目，但不少人都說這個數字，只是說明了廣告的威力，因為這個數字是由香港奧運金牌得主為某銀行在2006年賣廣告時說出來。相信當時一定有一些研究及假設支持這個數字，應是有根有據，但時光飛逝，經過十多年後到今天，假設通脹每年為3%，400萬亦已變成600萬以上，可想而知這筆資金絕對不簡單！

從較市儈角度考慮，為人父母者，當你將600萬元的血汗錢都投放到孩子身上時，你又期望有甚麼回報呢？是否如一些父母所說，只希望他們將來能夠獨立，不用依靠父母生活便心滿意足呢？我作為兩名孩子的父親，並非富二代，又是一名理財教練，我便不會是一個付出數百萬元而完全不望有任何回報的人。

別讓孩子成為KIPPERS

另一方面，你又有否聽過一些故事，孩子從小對父母要求千依百順，按父母期望而活，但成年和獨立之後，和父母的關係卻很疏離，甚至出現不少的爭拗。我在報章中亦見過一些類似報導，其中一則報導是父母對孩子的日常行為不滿，最後導致爭吵和打架，要報警收場。那孩子的年齡是30多歲，與父母同住，而父母不滿他的地方是整天游手好閒，沒有工作，就算日上三竿都仍然臥在床上。這類生活模式的人，在華人社會會稱呼他們為啃老族，但他們是存在於世界不同的角落，只是稱呼不同，外國會稱他們為 "Kids In Parents' Pockets Eroding Retirement Savings"，簡稱 KIPPERS。

不論是甚麼稱號，他們對家庭財政上的支援基本上是零貢獻，甚至是持續不斷的需索，但父母可能在他們成為啃老族之前，已經長時間投放了大量資金，甚至有些是到海外接受教育歸來，為何仍然會出現這種結果呢？問你怕未？！是否可以預防孩子成為啃老族的呢？

Dr. Richard Swenson是一位學者及獲獎教育家,亦是多本暢銷書的作者,他的工作是教授人們如何能夠平衡繁忙工作、健康、穩健財務及充實的生活和人生,他提到當孩子成長後,有兩件事的印象最深刻,分別是:

(一) 家庭有多愛護他們和

(二) 過去有多少時間和父母相處

這些並非用金錢能夠處理的事情,也不可以重新開始,可惜很多父母都是將關心和金錢掛鈎,以為多花錢在孩子身上,便代表已盡了父母的責任。很多事情都要有錢才能解決,但怎樣去平衡金錢和心理上的安排都很重要。

我看過一篇解釋父母和孩子關係疏離的原因的文章,當中提到一個由英國劍橋大學家庭研究中心及一所慈善機構合作的研究結果,指出最主要發生關係疏離的原因,並非是父母主動疏離,而通常是來自於子女對父母的主動疏離。

(資料來源:Difficult Mothers: understanding and overcoming their power, Terri Apter (W.W. Norton) and Hidden Voices – Family Estrangement in Adulthood, collaboration between Stand Alone and the Centre for Family Research at the University of Cambridge.)

研究提到子女在24歲到35歲之間最容易發生疏離，這段時間應該是子女已完成了大學學習及工作人生開始的時候。為何有這情況？估計是孩子因有獨立經濟能力而考慮與父母保持距離，作為父母者，應該不想見到這情況吧。研究亦指出疏離通常發生在子女努力想要獲得父母的認同或安慰後，但卻一直無法達成，因此成年的子女開始認為疏離才是彼此關係的核心，而疏離才能夠在關係中帶來和諧，彼此不受影響，而這也是因為父母持續展現不良或錯誤的自我給子女認識。

贏在起跑線，能支援到終點？

說到這裡，我想問為人父母的讀者，當你一心希望孩子贏在起跑線時，有否想過究竟終點在哪裡呢？是否真是給他們以為最好的教育（很多人理解最好的意思即是最艱深，要求成績最高的學校），便代表他們未來一定會成功呢？

我的想法是，要孩子成長成材，父母需要在過程中付出很多時間，精神和金錢，而期望的不是他們事業有多大成就或

能夠賺多少錢，成為人中之龍，因為這些對父母來說，都不一定能得到很大「益處」。我認為父母最期望的好結果是，到子女成長後，自己亦已到中、老年，他們能夠成為自己的好朋友，雖然年紀有很大分別，但能夠互相輕鬆談話，互相關心，而關心並不純粹是金錢所能衡量，而是發自內心的愛護，這樣到父母年紀漸大時，也能感覺到人生的滿足。

所以當父母為子女規劃教育基金時，金錢問題當然需要考慮，但我認為過早便開始投放資源的話，只代表將來兩個可能性：

（一） 父母將來要持續地投放更多資源才能讓孩子完成整個教育人生，你是否已為每個孩子準備了600萬元？

（二） 或是見步行步，一開始便大灑金錢，但到某個學習階段時才發覺已經沒有多少儲蓄可用，結果被逼中途變陣，將價就貨，未能繼續提供好的資源協助孩子，在沒有選擇下結果是輸在終點。孩子可能因父母的錯誤決策而導致心存不滿，將來面對工作不順利時將會增加磨擦。我亦聽過一些真實分享，其中一個情況是一位媽媽感覺到很傷心，原因是她本身已很努力地儲蓄和節衣縮食，為孩子提供英國升學的機會，但孩子完成大學學位後，回到香港工作，他不單沒有感恩，更投訴母親，怪責她為何同學的父母能夠為他們買樓付首期，而他卻沒有呢？！當你以為已經盡了一切為孩子創造美好將來時，原來是令他們對你產生不切實際的期望。

所以為孩子好，除了提供適當金錢來支持他們學習成材外，更重要的是有否令他們學習到感恩，學習到欣賞父母所做的一切，當中需要有很多的學問，包括溝通和說話技巧，還有日常面對不同處境時應如何處理等，這些問題牽涉到教育孩

子正確金錢和價值觀，有興趣多了解的讀者可以參考我另一本書籍《親子十分鐘　啟動孩子理財力》。

不論何時何地的教育都要用錢，父母有儲蓄及收入才能真正提供多一個選擇給子女，以下部分便是海外教育基金規劃篇。

考慮為孩子儲蓄教育基金時，不同學習階段所需要的資金是不同的，相信大家有很多途徑獲得這些資料，而我留意到智經研究中心提供了一個有趣的育兒成本計算機。這個計算機考慮了孩子從學前教育階段到大學階段的支出，每個支出項目亦有幾種支出模式的選擇，方便家長可以從個人期望出發，看你期望孩子未來的不同階段需要有甚麼的學習安排。

我嘗試用這計算機估算現時一般家長的想法下的支出。現時很多家長都會從學前教育開始，便讓孩子參加遊戲小組 playgroup，因為相信孩子多與人溝通便能夠令他們更加容易適應將來的學習程度和學校生活，而學前教育之後便到幼稚園階段，通常是三年時間，而支出可以有很大的差異，例如根據計算機的估算數字，在國際幼稚園讀三年的價錢便要

30多萬，還未計算的是其他的興趣班，訓練班及補習班等等，所以從我用的例子，這個由出生到完成幼稚園需要的教育成本便要50多萬。而小學以六年計算，假如是在直資或私立小學上學，再加上補習班和興趣班等等，便需要近60萬。在直資或私立中學同樣地以六年時間計算，需要的資金大概70萬。而最大支出的階段必然是大學階段，留在香港的教育成本並不算高，但當考慮到海外升學，需要的資金便要以超過一百萬來計算，根據計算機的數字，以四年制海外留學計算，再加上其他的支出，例如住宿費和生活費等等，估算便需要超過300萬。所以這個例子的總共學習教育支出便要接近487萬。

育兒教育成本計算例子

項目	時數	育兒成本 （不包括通脹）	年期	育兒成本 （包括通脹：3%）	年期
學前教育 - 遊戲小組（嬰兒期）	48 堂	15,000	1 年	15,450	1 年
學前教育 - 學前預備班（嬰兒期）	10 個月	30,000	1 年	31,827	1 年
國際幼稚園（幼稚園）		325,209	3 年	366,132	3 年
課外活動 - 補習班（幼稚園）	每月 20 小時	72,000		81,060	
課外活動 - 興趣班及訓練班（幼稚園）	每年 5 個課程	24,000		27,020	
直資 / 私立小學（小學）		272,226	6 年	350,428	6 年
課外活動 - 補習班（小學）	每月 20 小時	144,000		185,367	
課外活動 - 興趣班及訓練班（小學）	每年 5 個課程	48,000		61,789	
直資 / 私立中學（中學）		173,832	6 年	267,192	6 年
課外活動 - 補習班（中學）	每月 20 小時	216,000		332,007	
課外活動 - 興趣班及訓練班（中學）	每年 5 個課程	48,000		73,779	
海外留學（大專 / 大學）		1,600,000	4 年	2,848,938	4 年
課外活動 - 補習班（大專 / 大學）	每月 4 小時	96,000		170,936	
課外活動 - 興趣班及 訓練班（大專 / 大學）	每年 5 個課程	32,000		56,979	
		3,096,267	21 年	4,868,904	21 年

資料來源：智經研究中心「育兒成本計算機」

以上只是教育相關支出的估計，加上其他生活上的使費，之前估計養大一個孩子要超過600萬，可能都只是一個中等程度的估算。

如果將這個學習人生教育支出分為四個階段，分別是(一)幼稚園或以上，(二)小學階段，(三)中學階段，和(四)大學階段，第一到第三個階段需要的教育成本，平均每年大概7萬多至10萬元以內，相信以現時一般中產家庭的財政來說，是一個不難負擔的數目。也因有這種「付得起」的想法，認為自己能力上能夠做到，所以很多家長亦會在這三個階段用更多的錢，結果是在這三個階段每年支出不是10萬之內，可能是20萬，甚至乎更多。花錢沒難度！只要每年去多一個遊學團，每月學多一個興趣班，錢便會不知不覺間花掉了。結果是到第四個階段時，本來希望孩子可以到海外升學，但有些父母因儲蓄不足而放棄到海外升學的想法。我不是鼓吹一定要海外升學，只是想指出資金過早用掉，會令財富增值效率降低，導致後期資金不足而影響了升學的選擇。

教育資金分四筆

所以，我會提醒家長，當你要為孩子規劃教育基金的時候，不是一筆資金，而是四筆資金，或是四個豬仔錢罌，分別便是剛剛提及的由出生到完成幼稚園階段是第一個豬仔錢罌，小學是第二個，中學是第三個，而第四個是大學階段，相對需要最多資金。分開四個豬仔錢罌的好處，是能夠減少在早前階段過度消費，導致後期最需要用錢的第四個階段沒有充足儲備。同時這樣做法亦能夠令你針對短、中、長期不同的階段有不同的策略。而亦要接受事實便是若孩子已經在某一

個階段，你要在這個階段產生更多資金，基本上只能夠靠每月的入息及盈餘才能做到，如果之前沒有足夠儲蓄，可能要放棄一些階段，並針對認為最重要的階段來儲蓄。

「少年不知愁滋味」，回想過去，相信大家都不會反對人生中最少煩惱的階段應該是成年前的求學階段。到投身社會後，要面對的問題更多更煩，所以「養兒一百歲，長憂九十九」，只準備了教育基金，不代表他們將來投身社會時必定順風順水，因需要面對未來事業階段的挑戰時反而沒有安排。

正如我在這課開始時提到，孩子在成長過程中最需要的，其實是父母的關懷和時間，金錢反而是其次。假如你還未為孩子準備好600萬元，應該考慮怎樣令有限的資金可以發揮得最好，我建議應該將資金保留到較後階段，甚至乎為孩子準備的教育基金亦不一定需要用作讀書，不論是否稱為教育基金，說穿了都只不過是為未來需要而安排的儲蓄儲備。例如可以保存到未來，作為創業基金或在職進修基金。

影響教育基金規劃的四大因素

全面的教育基金規劃需要考慮四個因素：

（一）早計劃，選擇多

有些父母沒有為孩子預早儲蓄，到後期發現有需要到海外升學或是有其他資金需要時，唯有將自己的投資或是儲蓄用掉，結果影響了其他計劃。所以在儲蓄安排上，大家應運用心理賬戶的概念，將不同的目標和用途的資金用不同的儲蓄計劃，如果有計劃要孩子的話，都希望為他們的將來有多些支援，所以今天便應該開始儲蓄。

由於時間較充裕，有機會充分發揮投資概念中的複式效應，因此不需要很高回報也能夠創造不錯的收益，即是不需要承擔高投資風險，而考慮的儲蓄計劃應具備在較長時間滾存下

而可以達到較平穩收益的特質，
儲蓄型保險為主的工具可以考
慮，又或是混合資產類的基金投資
亦是適當的選擇。

（二）供款需要配合能力

規劃教育基金時，如資金不足，不需要一開始便考慮達到目
標需要的資金，因為資金不足和目標不變，要達標便要增加
投資風險，期望以較高回報來累積儲蓄。但增加風險的結果
可以是增加收益或出現虧損。

所以在這情況下，我建議先從現時家庭收入中定出一個指
標，應該每月或每年可以有多少餘錢用作孩子的教育基金儲
蓄計劃，慣常的參考都是將入息的10%至15%作為儲蓄計
劃的供款。除此之外，亦要考慮的是儲蓄期，需要以現在到
未來需要動用資金的時間為目標儲蓄期，不要想有多餘的靈
活性，既然已經衡量了供款能力，便應該確保這個計劃的供
款一分都不會少，另外到將來儲蓄增加時，便要增加供款，
令未來的選擇可以增加。

(三) 平衡風險

市場上可以作為教育基金計劃的選擇有很多，由進取的股票類工具，到只求安心，不求回報的存款儲蓄都可以是教育基金計劃，如何選擇便要考慮儲蓄期，可承受風險，要求金額和靈活性等因素，總之需要平衡。根據我時常提倡的「四桶金」概念，這計劃應該以可儲蓄期來決定可承受風險水平，越後時間才需要，相對上便能夠承擔較高風險，相反越近期的資金需要，可承受的風險水平便只能夠向下調整。

有人說歷史告訴我們，以超過10年的中至長儲蓄期來考慮，因投資時間足夠，股票類工具的投資表現能夠超越存款和債券類較低風險的資產，所以教育基金應以進取工具為主。但要注意投資股票類資產是否能夠獲利，持有時間未必是主要因素，除了市場環境以外，必須要考慮個人心理因素。投資表現數據通常是以點到點方式表達，但個人的投資決定卻容易受一些短期消息影響，所以我們很容易因道聽途說而做錯了投資的買賣決策，投資前人人都期望低揸高沽，但很多時候卻變成了高揸低沽，時間越長，做錯投資決定的機會越多，結果過了一段以十年計的時間後，可能得不到理想的收益，甚至要蝕本。因此，對於這類長線儲蓄計劃來說，不能

夠將所有資金都配置在進取的資產，必須有一個平衡的安排。

（四）保證提取

甚麼事情是不能拖延的呢？其中一項便是孩子接受教育的時間，你不能夠到時和孩子說，因為家人投資組合表現不理想，所以你要延後讀大學的時間，等到將來投資組合表現理想便可以讀書。因此在管理財富時，若然當中需要為孩子未來教育準備，組合中一定要有適當資金能夠在指定年期套現。這是組合中需要有的保證元素。市場上有保證的工具包括銀行存款，保證基金，年金和儲蓄型保單等。市場上不會存在同時有高保證及高回報的產品，因有保證的產品整體回報會因需要提供保證而有機會被拉低，保證越高，潛在總回報越受限制。

所以，作為教育基金規劃，在將來指定提取期獲得的保證收益，應該以需要完成大學教育的基本需要金額為基礎。以在香港完成整個大學教育的學費及生活費金額為例，一個剛出生的嬰兒的父母，便要為孩子在 18 年後讀大學需要而儲蓄到一筆約 40 萬元的教育儲備，這是以現時價值計算，所以父母不要忽略了檢討計劃，將環境因素的影響反映在計劃中。

教育基金
全面規劃方案

教育基金只是一筆令家庭可以為孩子選擇教育安排的資金，但有時間性的限制，過早得到未用得著，過了需要交學費時間才有已得而無用，所以在規劃時，應該分開兩部份：

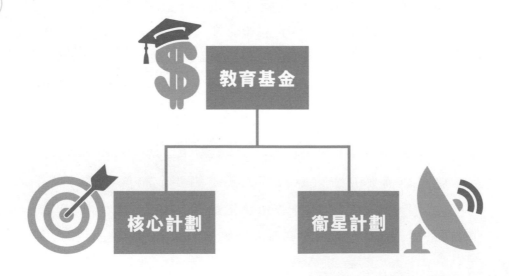

（一） 核心計劃：第一部份是核心計劃，計劃特色是要在指定時間，一定要獲得大部分期望得到的資金，變相是要求較高保證的安排，例如儲蓄型保單或一些中至低風險的多元資產基金投資計劃，而目標儲蓄金額應該以一些較容易應付及可接受的教育安排來考慮，例如中、港，日本，南韓，或近年興起的一些教育支出較低的歐洲國家，包括德國、法國和奧地利等，另外亦有一些人會到北歐國家進修。

（二） 衛星計劃：核心計劃以外，家長總希望能夠有較多選擇，所以同時進行的另一個計劃便是衛星計劃，這部分是想有更多資金，所以投資策略上相對較進取，變相非保證成分較高，時間及環境能配合的話，便會累積多一筆不俗的金額。但這部份風險較高，假如將來面對市場不理想而回報受影響的時候，預期金額可能會大幅降低，但因已準備了核心計劃，所以不會影響孩子入大學的時間。假如衛星計劃及核心計劃都同時表現理想時，便會有一筆理想的教育基金儲備，到時可再按需要而用作大學學費或是創業基金。

(三)　人壽保障：說到這裡都是一些為未來理想而安排的儲蓄計劃，但在現實環境下，總會有一些並非我們能控制的狀況，為人父母者，就算自己有任何問題發生，都不希望孩子的未來受到影響，所以除了為將來儲蓄以外，父母亦要確保由今天開始到未來達到目標之前的這段時間，有任何事情發生導致家庭經濟支柱早逝，都會確保計劃可以繼續，所以現時開始父母便要為未來目標儲蓄金額購買人壽保障。

(四)　醫療保障：還有一種情況，是家人身體出現毛病或是遇上意外，需要接受治療，因急需較多資金而動用了教育基金儲蓄。為了減少這個風險，父母亦應該有適當的醫療相關保險保障，包括住院保險、危疾保障、甚至是傷殘入息保障，這類安排是希望以有預算的保費支出來對沖難以預算的醫療或意外導致的手術費用等等的支出。這是一種支出，不能夠以回報來考慮，所以當父母決定為孩子準備教育基金時，亦應同時做好了人壽及醫療相關保障的安排，這才是一個全面的教育基金儲蓄方案。

Chapter 4

置業及移民
規劃

買樓
是必須？

我時常都會獲邀出席業界或公眾的講座作分享嘉賓，很多人有興趣知道我對一些投資機遇的想法，包括現時的樓是否可以入市和海外物業是否值得投資等。不同專家都各有自己的獨特見解，我並非物業投資專家，所以我只是說出個人主觀意見，多個人多張嘴，想聽多一個意見為參考亦無妨。不過，從理財教練角色看，我不會只專注現時是否適當入市時機，我會從整體家庭需要考慮，決定是否值得持有或是投資物業。

每當有人問到我現在是否買樓時機時，我會首先反問他們為甚麼要買樓。一般情況下，離不開兩種答案，分別是作為自住用途，和希望投資物業創富。

如果是為了自住需要而買樓，我會進一步問是否有必須性。

對大多數人來說，買樓是人生中最重要的決定，因為不單牽涉到很大金額，亦牽涉到家人之間的相處，當中包括一些價值觀和喜好的問題。假如在考慮不周詳之下做了決定，而未來又要居住，天天面對，相信自己和家人會有很多埋怨或發生衝突。

一些人認為買樓是必須的，例如你的愛侶說沒有樓便不結婚，又或是現時的家庭容不下你，那你必須另覓其他居住地方。但這些是否「必須」立即買樓的理由呢？以沒有樓便不結婚的處境來說，兩口子希望婚後可以有自己的小天地，享受二人世界，這想法不一定要買樓才可以實行，因租樓住也

可以有二人世界。這些煩惱只是取捨及編排目標次序的考慮，但將大部份儲蓄投放在自住物業後，為其他目標而儲蓄的資金便會大幅減少，有得也有失，沒有必然的對或錯，但必須要清楚每一個決定的後果。

香港樓價在沙士後到2018年，都是上升趨勢，樓價已脫離了一般人的負擔能力，所以我認為理性地分析樓市走勢是意義不大的。

假如真有買樓需要，主要應考慮兩個問題，分別是：

（一）　有否資金支付首期？

（二）　每月有否穩定收入供樓？

由於很多人沒有足夠儲蓄支付首期，又擔心樓價持續上升，今天上不了車，將來更沒有機會，所以向家人尋求支持。這幾年便時常聽到「成功靠父幹」的現象，當然「能幹」的人

可以是父親、母親、或任何有能力的家人。如果家人財政充裕，透過他們幫忙支付首期，買樓問題便很容易解決。但決定這樣做之前，必須了解父母是用甚麼方法來提供首期給子女買樓，如果沒有充裕儲備，只是因自住物業升值了或已經償還大部份貸款，可以向銀行申請加按，並提取資金為子女支付物業的首期，這做法其實只是債務轉移的安排，如果子女未來沒有能力協助父母清還貸款，而父母又因退休而沒有工作入息，債務問題將會禍延兩代人。所以就算可以靠父幹，都要確保父母財政上能夠應付，否則一家人只會一起面對一個爛攤子。

首期以外，每月仍需要償還按揭貸款，這應該是子女承擔的責任，而借款額和每月還款額要視乎工作入息及穩定性而定，如果是一般銀行按揭借貸，還款額會限制在不超過入息的五成，但假若你的狀況是剛剛好不超標，風險實際會很高，因銀行會進行壓力測試，模擬在加息或經濟轉差等環境下，銀行要收緊借貸，那便有機會要求借款人增加定期還款額，或要求提早還款。當這些情況發生，而借款人沒有儲備應付，便變成了危機，銀行會收回物業，變成銀主盤拍賣，

到時不單失去住處，還可能繼續被銀行追債。定息按揭是否一種可減輕因壓力測試而導致的風險呢？應該是的，但最基本考慮都是工作入息的確定性。

我認為控制每月各種借貸還款總額在入息三成或以下才較為穩當，例如家庭月入8萬，每月用作償還不同貸款，包括樓按和私人貸款等等的支出，應該控制在2.4萬（月入的30%），如果增加了便要小心，及應該多儲蓄應急錢，用作應付未來自己不能控制的改變。如果入息大部份是不固定的話，要更加審慎。

我以往出版有關「四桶金」系統的書籍中，建議了一個可跟隨的做法，便是首要準備好應急資金，之後再確保個人風險能夠透過保險轉移，然後才考慮資產增值。而在「四桶金」系統之中，要注意自住物業的定位，除了是在退休階段時可考慮用作申請安老按揭之外，自住物業並不包括在可運用資產內。所以擁有自住物業同時，亦要確保有其他資產可以為未來不同的人生階段的現金流需要而作出規劃，否則人到老年時，可能擁有的資產便是一個自住單位，到時可能要面對

維修保養的潛在龐大支出，未必能夠製造足夠生活需要的入息，令生活受影響。根據今日的政策，香港人可以運用安老按揭製造退休入息，但到時樓市狀況如何沒有人有水晶球可以預見，而且申請了安老按揭及提取收益後，最終物業的擁有權可能會在人生終結時消失，這又是否擁有物業的人士希望出現的結果呢？

人生階段不同，
物業需求不同

年青人買樓，考慮的地區應該是方便日常活動為主，例如接近工作地點，又或是接近一些交通方便地方，到晚上或工作原因而夜歸也不用擔心交通工具和交通時間問題。

到下一個人生階段時，即考慮與伴侶一同居住的時候，可能有不同想法，例如有些人會希望可以靠近父母居住，因到時方便由家人照顧，包括提供伙食和協助清潔地方等，雖然這種想法不好，但又是很常發生的情況。

到有孩子之後，考慮的重心便會轉到孩子身上，尤其是他們的教育需要，所以考慮在心儀的學校校網區買樓或居住。當然校網越好，附近的樓價便越高，所以在能力容許

下，才可以住在心儀的優良校網區。每年公布小學派位結果時，通常都會有媒體訪問到一些家長，因為要為孩子「抽」到心儀學校而搬到相關校網區居住，用上二、三千萬元買入自住單位。通常看到這些報導，似是父母為了孩子的將來而付出了很多，但我的想法卻並非如此，因為有機會計錯數！進入了心儀的小學，下一步是期望能夠進入好的中學，繼而升上好的大學，最後能夠找到一份好的工作及人生中認識了一群很好的朋友，一生無悔。但這些是否買入一個單位便保證能夠發生呢？機會可能是增加了，但亦沒有必然相關性。所以我相信他們只是以這個為藉口，令自己合理化地花費大額購買物業，其實可能只是一個投資安排，而並非家庭規劃。家長們要想清楚，為孩子付出了數百萬，甚至乎過千萬之後，你的終極期望是甚麼呢？我在第三課有很詳細的分享。

喜歡的學校不同，亦會影響買樓選擇，假若父母心儀的學校是直資或私校，住屋又不一定要在學校所在地方，因為學校收生不受居住地點影響，但住得較遠的話，便需要較長交通時間，亦有機會孩子要更早起床去上學而影響了休息時間及質素。

當孩子在中學階段時，家中需要更多活動空間，居住地方便要更大，所以可能有換樓的需求。由兩口子的兩房單位提升到加入孩子的三房單位，甚至是四房的單位。如地區不變，這安排令支出大增，需要考慮負擔能力才決定是否換樓。如果沒有足夠儲蓄購買大單位，權宜之計可考慮租住大單位，並將購買了的小單位出租，補貼支出。

當孩子長大成人，並組織自己的家庭，決定搬離父母住所，到時父母考慮的便是自己的退休需要。我見過的個案中，有不少因已很熟悉居住了多年的環境而不希望離開，選擇在現有單位繼續居住。由於已住了多年，樓齡可能都不輕，有機會面對較高維修保養成本的問題，所以要考慮平衡需要和付出兩方面。

不同人的居住需要不盡相同，希望這部份可讓大家多了解怎樣按人生階段需要來規劃居住安排。

買樓為
投資創富

除了自住需要，另一個買樓原因便是投資需要，我聽過不少人到中年的都有個想法，便是買樓收租，作為製造退休入息用途。我一向都說這種出發點買樓是不對的，原因是當你持有物業作收租用途時，即代表不打算出售，但物業的租金收益率其實不高，再扣除稅務支出、管理費、潛在空置狀況及其他問題而導致租金收入降低等問題，一般實際收益率可能少於2.5%，還未計算有維修保養的支出，亦有機會因經濟環境或是個別物業情況而導致收益減少。同樣資金投資在其他理財工具，例如儲蓄型保單或是一些派息的股票或基金等等，相信長線能提供的收益率會較高。

所以從收益角度看，買樓收租不是合理的理財計劃，但不少人又喜歡這樣做，為甚麼呢？當然是期望物業能夠持續升值！所以投資物業的主要考慮是你預計物業有多大的上升空

間。很多人以為持有物業是必勝必升的投資理財策略，其實要視乎你在甚麼時間買入及賣出。有人分析，由2003年沙士到2019年6月底，香港樓市整體都是只升不跌，所以投資物業是穩賺不賠的。在2019年7月初到2020年2月底，這個結論已經不正確了，反映香港私人住宅物業價格的「中原城市領先指數」，由190.88下跌至178.11，下跌了6.7%。也有人說香港樓市大漲了16年，自然要小回，之後才可以升更高。經歷過沙士階段的成年人都知道，由1997年到2003年的六年期間，香港樓價下跌了不少，究竟是多少呢？「中原城市領先指數」，由香港回歸中國開始，到經歷了沙士之後，指數由1997年7月100點，下跌至2003年8月的32點，

代表香港私人住宅物業價格在六年間平均下跌了68%。

將2019年6月底的190.88點歷史最高位和1997年7月時的100點比較,「中原城市領先指數」在22年間的年度化升幅是2.98%,又是否很吸引的長線投資回報率呢?

很多人說物業是磚頭,保值能力強,但六年下跌近七成的事實又是否代表保值能力強呢?其實物業是固定資產,價值反而會因折舊而降低的,很多人期望樓價會上升,只是預期供應追不上需求,但供求是受著很多已知及不知的宏觀及微觀因素影響,例如社會運動,疫症及中美貿易戰等等,所以我想大家明白,很多人對房產價格的預期表現的分析都可能是一廂情願的想法,如果你因為別人的說話,又或是過度樂觀和自信而做了過度進取的投資決策,一切後果,不單個人要負責,隨時你所關心的家人都要一起承擔。所以做任何投資決定前,不能只向好處想,更要考慮萬一表現不理想時,是否能夠承受損失。

我亦擁有自住物業,如果我再考慮買樓,反而是考慮孩子的需要,但我只會量力而為,相反,從小我便教育孩子,他

們有責任為父母的退休生活需要而付出，我兩夫婦時常掛在口邊的說話，是要求他們買樓和供養我們退休。相信今天的父母很多時都因為感覺環境競爭激烈，不想加重孩子的負擔而向他們說不需要照顧父母，只要照顧好自己便可以。這是一個錯誤的想法和做法，令孩子不明白他們應有的責任。當你付諸行動而教育了孩子這種概念，他們便理所當然地不用考慮父母的需要，到將來你也不能夠怪責他們不照顧你。所以我在理財講座中，當有機會討論到今天孩子的表現時，提醒父母他們的責任很大。如果你不希望他們將來理所當然地「成功靠父幹」，父母卻要不斷地幹活而沒有退休生活的話，今天要做好家庭教育，而家庭理財是一項所有人都必須掌握的生活技能，而且需要從小便教。

移民成家庭
熱門話題

我在《iMoney 智富雜誌》有一個名為「你財策劃師」的欄目，由2007年開始，已經超過了12年，與近400位讀者見過面及為他們的理財計劃提供了建議。他們的理財目標與社會發展及公眾話題息息相關，我注意到2019年開始，舉家移民是其中一個大家關心的考慮。

他們普遍考慮移民的原因只有一個，便是希望可以改善現在的生活質素，不過，導致他們對現有的生活感到不滿的原因卻有不同。個人原因方面可能是事業發展不理想、居住環境質素欠佳、人際關係不滿意、感覺香港安全感不足及對香港的醫療發展失望等。除了以上問題，也有家庭的考慮，主要是對孩子的教育有關，希望能在世界其他地方好好培養孩子，讓他們有更好的未來。

從人生來說，離開土生土長的地方，移居到其他地方，重新適應新生活方式，是一個很大的轉變，甚至是對人生及家庭最重要的選擇。所以為了家庭成員的將來，需要考慮清楚移民的動機及未來影響，尤其每個決定都涉及取捨。當你希望能成功移民到心目中想去的地方的同時，是否已清楚考慮自己需要捨棄甚麼呢？

作為父母，更需要想清楚是為了自己或是為了家人作出移民決定，不要以為移民一定能為子女提供更好的將來。我認識一些很久以前已移民外地的人，他們在孩子還很幼小時已經舉家離開香港，當時的熱門移民地點是英國、美國、加拿大和澳洲等。值得留意是，在孩子成長過程中，需要適應新環境已是一個大挑戰，不論年齡，人在異鄉難免會有「不是本地人」的標籤，當地學校亦不例外。

孩子從一個朋友圈進入一個陌生人圈，可能會受冷落或敵意對待，一定會感到難受，所以家人的支援非常重要。不過，父母去到新環境，也需要面對轉變帶來的煩惱，屆時還需多方面兼顧，壓力之大可想而知。我知道有一些在中學階段被

逼跟隨父母移居海外的孩子，會在「坐完移民監」之後回港生活，到時又要重新適應，結果是好是壞，並非移民時便能知道，所以要和孩子坦誠溝通，至少令他們明白及體諒父母的一番苦心，避免將來家庭關係受到衝擊，好心做壞事。

相信有興趣移民的讀者已知道多種申請移民的途徑，與經濟有關的包括投資移民、創業移民和技術移民，與經濟無關的包括與家人團聚和基於人道主義。而地方更應有盡有，我聽過的有：

地區	移民 / 移居選擇
亞太區	台灣，馬來西亞，新加坡，泰國，南韓，日本，澳洲，新西蘭
歐洲	英國，愛爾蘭，德國，意大利，法國，葡萄牙，西班牙，奧地利，盧森堡，土耳其，白俄羅斯，拉脫維亞，愛沙尼亞，保加利亞，希臘，馬爾他
美洲	美國，加拿大，墨西哥，厄瓜多爾

我並非移民專家，所以只會和大家從理財方面分析移民需考慮的因素。

移民後，
薪金或要打折

移民前和錢有關的理財考慮，包括資產管理、製造入息和支出三方面。先從入息考慮，假如現時的收入不理想，希望轉換環境後能夠增加入息，便需要了解自己目前的問題及將來的籌碼。企業老闆和打工仔的賺錢方法不同，環境因素，例如政治和經濟的好與壞，都會影響不同的行業。

有一定工作經驗或人生閱歷的人都應該經歷過經濟周期，亦知道有些問題並非個人能解決，反而是否有足夠儲備應付寒冬，對未來的財富及生活帶來的影響是很重要。但在夕陽行業已工作多年的人，在香港可能已難有進一步發展，甚至會面對工種消失的風險，就算移民海外，問題可能只是延遲，而並非解決，所以應該清楚自己可以怎樣創造更多收入，才考慮在甚麼地方生活或是應否移民海外。

如果已有心理準備收入將打折扣，第二樣要考慮便是怎樣控制支出。香港是知名的高消費地方，生活質素差異很大，有錢可以有很多選擇，但移民海外之後，面對的可能是一般中產人士有錢也不會有太多選擇。支出管理需要面對的，除了是金錢以外，還有心態。曾經到歐、美、加、澳等地探親的朋友，便會明白長時間在當地，生活便有機會趨於平淡，每天的支出模式和去旅行時的有很大分別。不過支出方面仍較大彈性及個人能控制，相信問題不大，孩子的教育支出亦有機會是當地公民身份而大幅減少。因此我認為，因想降低支出來維持生活質素而申請移民的話，絕對是可行。

退休後離開香港到其他地方生活是現時一個熱門的話題,因
能夠更有效地運用儲蓄及維持平穩生活質素。反而是在職人
士移民後支出降低的同時,收入減少的幅度可能會更大,這
是要理性面對的問題。另外,一些必需的支出,例如醫療保
障和房屋等,亦會因各個市場的社會政策不同,或能幫助更
好地運用已累積的資金。

最後是管理資產,在我見過有關移民規劃的理財個案中,當
事人都擔心人在海外需要繳交重稅,例如針對投資資產回報
或收益的資本增值稅。當你決定到他方生活,便應遵守當地
的規則,所以在投資收益上亦要預計會被打折扣,不要想著
可以逃避責任,否則這種生活亦難以令你產生安全感。

總括來說,做每個決定前,先要清楚動機,每個人的情況都
不同,不要人云亦云,因做錯了決定,並不像購物一樣,可
以放棄,重新開始。如果選擇移民或移居,付出的代價也必
然很大,是重新開始,或是原地踏步,需要慎重考慮消楚。

Chapter 5

投資是過程，
目標最重要

你明白「投資」這回事嗎？

個人投資策略和家庭投資計劃有甚麼分別呢？

最明顯的分別是個人決定或是集體決定，而後果是個人來承擔或是一家人共同面對也有分別。所以為家人做投資決定前應該先要有共識，假如將來投資計劃出現不符預期的結果，也可減少大家互相指摘的情況。嚴格來說，當孩子開始有初步概念知道投資是甚麼時，父母都應該讓他們知道家庭的投資安排，這也是一個好機會令他們學習投資。換句話說，如果父母都不懂投資，孩子也會缺少了學習機會，又或是容易成年後被外人影響而建立了不正確的投資概念，行錯路，恨錯難返。

假如你是一個懂投資的人，相信亦會明白我上面所說的道理。但明白了道理，又是否代表懂投資呢？如果你認同下列

任何一個問題或想法都是在形容你的話，便要用心讀這一課，因內容會幫助你明白應怎樣以家庭為單位來投資。

1. 不想理會投資，感覺很煩惱！

2. 感覺投資很複雜，不知怎樣開始！

3. 為甚麼一定要投資呢？

4. 不知道甚麼投資工具適合自己。

5. 不知甚麼時候應該買入目標投資。

6. 買了投資產品後，不知何時應該賣出。

7. 不知何時去檢討投資組合表現。

8. 不知如何去檢討投資組合表現。

9. 投資不一定穩賺，怎好？

10. 為甚麼要分散投資呢？

傳統和非傳統投資方法

在傳統的投資規劃中,選擇投資工具時,第一件事便應該先了解個人風險,假如不能承擔投資風險的話,便不可以選擇,所以金融機構協助客戶購買理財產品前,都必需進行風險評估測試。但我的個人經驗是,根據答問題去了解個人風險的結論,只反映了投資者在答問題那一刻的風險,所以有一些投資者事後對做了的決定後悔,不明白為何會選擇了一些不適合自己風險水平的理財產品,其實問題是發生在他們答問卷的心態只是考慮當時的想法,不一定真正了解自己將來要甚麼。

另一方面,我們定義風險的時候,是根據統計上的概念,例如時常聽到的波幅或是風險指標等等數量化風險的定義,實際是應用了統計學中的標準差概念,這類指標反映了資產過

去的表現，但對未來並不一定有很大的啟示。因此，監管機構亦提醒投資者「過去表現不代表將來」。除此之外，適合某君的投資工具，是否又適合你呢？所以在投資時，除了要了解數學上對風險的分析，亦應該要明白投資未能達到預期回報而導致對人生的影響，也是一種很個人化及嚴重的風險。

我和大家在此分享的家庭投資策略是「目標為本」投資規劃。當然運用目標和風險做投資決定並非完全相反的概念，反而可理解是一種按真實需要而作出平衡風險的安排，兩者最大分別是對風險定義並非只從和自己沒有關連的數據角度分析，而是同時考慮了在不同人生階段不能達到需要而出現的風險。

做每件事情都一定由動機先行，否則難以評估結果，投資也是一樣。每次當你做一個投資決定時，有否想清楚希望達到甚麼目標呢！是否很簡單的只是為了賺錢？又或是人云亦云呢？香港資訊發達，有大量和投資有關的訊息充斥市面，有時可能未想清楚已做了決定，我為很多人進行理財咨詢時，亦聽過不少人後悔過去做了不適當理財決策的例子，較幸運的可能只是金錢上的損失，有些更嚴重的甚至乎影響了和家人關係，所以要提醒大家的是在開始投資前要想清楚，以及和你重視的人多溝通。

確認你及家人的目標

運用「目標為本」投資規劃，第一項事情便是要確認你的人生及家庭目標，而每一個目標都受時間限制，因此風險亦隨不同時間而不同，因此需要配合不同的儲蓄及投資方案。第二項是需要定義何謂成功完成目標，怎樣才算達標呢？是否需要資金時能累積到某個金額便算成功？或是只要達到低些但能接受的水平都算成功？不論如何，這方面需要預先設定評估表現指標。如沒有任何計劃及行動，訂立長遠目標亦只是空想，所以當決定了長遠人生目標時，便要開始規劃，將大而遠的目標化為小及短期目標，期望能夠完成小目標後逐步達到長遠目標。

投資開始前先要了解為甚麼要投資，所以第一步便需要知道自己有甚麼目標，然後用甚麼準則將目標分類，之後才能定

出適當投資策略。我見過一些規劃退休的人士，因不清楚要準備多少資金退休，但又時常從媒體報導中聽到大部份人都沒有足夠儲蓄達到期望退休生活，所以和我面談時完全感覺到他們的憂慮，只想找到潛在回報高的投資來提升退休儲備金額，往往忽略了風險的問題。但我和他們分析時，利用不同工具，例如用年金製造穩定入息，為退休後潛在醫療支出準備保費儲備，還有透過較進取工具對沖通脹等，當退休後面對的不同目標都能夠適當地配置資產，結果發現現實並非如他們所想般惡劣，自然便不需要過度進取地投資。

我根據美國金融分析研究機構晨星公司和一些客戶的理財需求，注意到有最少20種不同的人生階段投資目標，列出如下：

1　能夠對目前的財政狀況感到放心

2　為個人增值需要而累積資金

3　體驗及學習如何投資

4　為創業而累積資金

5　為個人需要而買樓

6　期望在朋輩中脫穎而出

7　為現有業務製造收益及儲備

8　為夢想假期累積資金

9　為未來不同階段的醫療支出做準備

10　為子女需要而買樓

11　支付孩子大學教育需要

12　照顧年長父母的需要

13　為慈善或其他關心人物作出捐獻

14　不用工作及按喜好做事

15　可以達到提早退休

16　對退休時的財政狀況感到安心

17　不會因為自己的財政狀況令家人增加負擔

18　為退休居住需要安排

19　為自己關心的人保存財富

20　為家族後人的未來製造收益

假若你有其他投資目標不在以上20項之中，歡迎在我的 facebook 專頁提供資料。

不論貧富，這個清單已經列出了一般人的主要投資目標，當然未必所有目標都是你所想，有些甚至是從未考慮過。這種規劃方式的其中一個好處是擴闊了我們的想法，其實不能按時間表得到資金滿足需要，是投資計劃的最大風險，所以能夠更全面地考慮需要，不會只將投資和回報率掛鈎，而忽略了風險，是最基本的投資目標。

「目標為本」投資規劃的好處

「目標為本」式財富管理策略興起不過十年左右，出現的原因正是要回應越趨複雜的投資環境，管理策略是由投資者心態開始，而不是首先考慮外在市場狀況。所以這種方法是真正的投資「心」法，由投資者心理出發，能夠幫助提醒如何能避開一些投資上的盲點，協助更有效率完成長遠投資目標。

更具體來說，有八個特點令「目標為本」策略能夠幫助達到長期目標：

（一） 避免儲蓄不足

這策略要求投資者考慮及列出不同目標，有些是未來的長期需要。在思考過程中，讓投資者認知將來其他人生階段對金錢的需要，能夠連繫期望與儲蓄行為。

（二） 早開始計劃，儲蓄少亦可以成就大

由於比別人更早考慮未來的需要，令投資者有更多時間儲蓄，同樣一個財務目標，時間越長，自然每個階段投放金額可以較少，就算實際回報較低也能夠達標，投資風險因有較長時間而降低，但持續投資卻可以令所累積金額增加。

（三） 具體清楚儲蓄動機

「為退休而儲蓄」和「為達到期望退休生活水平而儲蓄」兩個目標看似大同小異，實際有很大分別，後者需要你對未來有憧憬，更加了解細節，變相提升你要達到指定景象的動力。

(四)　無悔消費

當你為未來設定了計劃及儲蓄金額，今天能夠
餘下的資金便能夠按喜好而運用，當然用作消
費亦無妨，以往可能因未為將來準備而花掉金
錢，因而產生內疚感，但在這情況下便會不存
在或降低內疚感。

(五)　充分利用設定的儲蓄計劃

積少成多是我們時常掛在口邊的理財方法，但
沒有明確目標的話，很多人便有藉口，說反正
錢不多，儲蓄亦沒有意思，不如花掉算了。但
一個長期持續而金額不須太多的儲蓄計劃，往
往能夠相比一次過大額儲蓄的想法更容易執行
及成功。除此之外，透過分期投資，能夠運用平
均成本法而降低風險及提升經風險調整的收益。

(六)　運用心理偏差創造優勢

金錢本是一種中性的交易工具，但由不同途徑

獲得或預算不同用途的錢卻對一些人產生不同意義，心理賬戶便是用來形容這些心理偏差。運用心理賬戶策略，將資金按目標及時間作投資，分配在不同的計劃之中，能夠減少在過程中出現的不適當行為，例如過早提取，亦更有效地為將來而儲蓄到所需金額。

（七） 有效配對資產與責任，減少無謂借貸

在目標為本財富管理中，短、中及長期的目標及重要性都臚列了出來，再運用現有及將來累積的資金，按部就班地達成目標，假如將目標定得較高，也可以早點便管理期望，將來不須因過於想達到期望而透支及借貸。

（八） 達到最理想回報

資產將會按投資年期而配置，因此亦能夠按情況而調校風險，減低過度進取或過於保守而導致投資組合出現問題，長線有更大機會達到理想回報。

能夠列出投資目標，亦不代表便能夠清楚明白要怎樣達成，例如，應如何理解及量化「不想成為家人財政負擔」呢？究竟是指在甚麼時候的問題呢？需要多少錢才算達到目標呢？種種問題反映出並非知道了投資目標便代表知道要怎樣進行投資，面對牽連到未來的考慮，很多時都並非三言兩語能夠了解，但無論如何，起碼在投資前要知道甚麼是自己關心的目標。

排列
投資目標

一般人都是目標無限，而資源有限，當選定了自己的目標後，第二步便是要按次序排列投資目標。

有些目標比較容易完成，例如為個人增值需要而累積資金，相反有些可能要很長時間和多很多資金才能達到，例如準備未來三十年退休生活的生活費，但一般人在理財考慮上，都有慣性捨難取易，捨遠求近，有機會便將一些相對次序較低，但較容易完成的目標變成了較高次序。這並非正確的處理方法，所以當定出目標及次序後，下一步便需要按時間將目標分類，包括短期、中期和長期目標。

之後再將每一個目標細分三個層次，包括「必不可少」，「更進一步」和「錦上添花」，這種分類能將大目標化整為零，變

成多個小目標，更容易定出務實可行的投資計劃，方便執行及評估效果，提升達成大目標的機會。

投資目標三層次

列出了自己的理財目標及次序後，下一步便是檢視現時的資產和資金狀況。

一般家庭在選擇投資及儲蓄策略時，通常的考慮重點都是風險與回報之間的取捨，及資金靈活性兩個層面，例如選擇較為平穩風險與回報關係的可以有儲蓄型保險，年金和屬於投資評級債券類工具等；中度風險與回報關係的有混合型資產

基金和高收益債券基金等；更進取的風險與回報關係的選擇包括股票，股票基金和投資本地及海外物業等。但「目標為本」的投資規劃考慮更全面，需要考慮配對不同資產，用作達到不同人生階段的理財目標，同一個目標亦有機會配置不同資產或儲蓄計劃。

在檢討現時組合的資產與目標的配置是否適當前，先要檢討不論人生階段或資產狀況，都要規劃的理財安排，分別是應急資金和保險保障。我在四桶金系列理財書籍中已經提及過，這兩桶金是針對風險管理，即控制支出，而並非製造收益，所以不能夠利用回報來衡量效益，但是在安排妥善後，卻能令你更安心地為人生目標而努力。

「目標為本」投資規劃包含了一種很重要的理財心態，便是要接受有些目標是必然排在你的目標清單前列位置，這些目標通常是關於今天隨時在不情願或沒有預算下出現的處境而導致的資金需要，例如幫助親友的資金周轉，因患病而需要即時治療或進行手術，或因意外導致家庭經濟支柱早逝而失去生活費等。

假若手上有不同風險水平的資產，最基本的配對策略便是將目標按個人的重要性排列，然後根據期望獲取資金時間及假設回報，先看手上資產能否達到第一階段的需要，即是「必不可少」的資金。假如現有資產及每月儲蓄連最重要目標的「必不可少」需要都達不到，其他目標都不要想了。假若最重要目標的「必不可少」需要能夠透過現時資產達到，下一步便是看能否達到第二排序的目標的「必不可少」需要，如此類推。假若在各重要目標的「必不可少」需要都有信心達到後，便可以向各目標的「更進一步」需要進發，最後便是各目標的「錦上添花」需要。

同一目標但不同時間才需要資金，也會影響建構投資組合時的選擇。以退休入息目標規劃為例，假如還有10年或以上才退休，「必不可少」需要的期望資金是每月兩夫婦2萬元入息，因需要較高確定性，可以考慮透過儲蓄型保險來達到目標，運用財務計算來了解今天開始的定期儲蓄是多少。「更進一步」的目標是為退休生活增加每年15萬元旅遊儲備，這部分可以透過收息股和派息基金來完成；「錦上添花」的目標是提升入息水平至每月3萬元，即是額外增加每月1萬元收益，這部份可以考慮透過股票類投資來達到。但對於還有不多於5年便退休的人士來說，假如退休時必須動用資產來提供收入，需要的組合便不同了。「必不可少」需要的期望資金可以是延期年金，如累積資金並不可以只靠安排延期年金提供收益，他們可以考慮建構延期年金及派息基金或股票的組合，令資金可以較快製造收益及增加靈活性，但另一方面便是資產價格有潛在較大波幅及有需要接受收益波動性較大的風險。從來沒有一勞永逸的投資安排，所以規劃開始後便要定期檢討，或按人生階段或事件而檢討。

量化目標
不求人

要為自己及家人的目標排次序及分開「必不可少」,「更進一步」和「錦上添花」三個層次時,必須要知需要多少資金及由現時開始如何能做到。如果在早期便發覺目標只是夢想,便可以更踏實地作出改變或更努力地為未來奮鬥。要知道怎樣準備,便要懂得時間價值概念及財務計算,你可以透過報讀相關課程或向專業理財顧問查詢。世界是沒有不勞而獲的道理的,但想早些開始家庭及個人規劃的話,亦可以花些時間在網上尋找有用工具,以下是一個有不同財務計算機的網站,讓大家計一計自己「盤數」。

https://www.fintechgo.com.tw/FinVIP/FinancialCalculator

針對定期定額儲蓄計劃，可以計算到（一）每年預期報酬率，
（二）每期應儲蓄多少錢，（三）預期到期時可得到多少錢，
及（四）要多少年才能達標。

假如想知道一些不規則存取模式的儲蓄計劃的年度回報率，
可以用「內部報酬率（IRR）」計算機。

假如要借款，例如向銀行借錢買樓，可以用「貸款攤還」計
算機，了解（一）每月需要償還款項，（二）每年借貸利率，
及（三）貸款年期。

要計算退休需要多少錢的話，可以考慮用積金局的「退休需
要計算機」。

http://www.mpfa.org.hk/
tch/mpf_education/mpf_
calculators/retirement_
needs/calculator3.jsp

假如你是強積金計劃成員，最佳退休規劃工具當然是積金局的「退休策劃計算機」了。

https://minisite.mpfa.org.hk/mpfie/tc/retirement-planning-calculator/

我相信網上可以找到很多免費又易用的財務計算機，但沒有相關知識的話，可能算錯了也不知道，所以我都鼓勵大家多學習，尤其是有孩子的家庭，因為有很多的知識及生活技能都應該由父母灌輸給孩子，理財知識便是其中一種。

慎選
投資理財工具

投資工具五花八門，大家可以閱讀我另一本書《四桶金富足退休指南》來學習主要的投資理財產品，包括股票，債券，基金，強積金，儲蓄型保險，年金和存款等。

金融市場升跌，都不是你我能控制，無奈地是否能夠贏錢都和運氣有關，所以當你能夠在投資前已經想好後果及明白自己會經歷的心理狀況改變，到運氣好而投資上升時，你亦懂得如何保存利潤，相反到沒有運氣而投資虧損時，雖然不能賺錢，但起碼可以持盈保泰，到市場在低位時亦有信心和本錢可以投資買進，歷史告訴我們經濟和金融市場都是周期，只要你能夠在劣境時守住資金，將來便能夠在好境時追回失地，結果能夠達成目標。

投資的真正意義是為未來期望的目標而規劃，需要時間來累積更多財富，如何處理滾存的財富和規劃人生同樣需要關注，所以不同的人生階段都要學習投資，我寫的投資理財書籍《四桶金投資快上手》記錄了不少投資及理財概念，我特別以趣味性形式介紹，希望你印象可以更深刻，包括：SPEED 投資快上手原則；年金難題；4D 執行投資法則；「釣魚組合」及計算機；三「富」人生投資方向；GROW 增長問題模式檢討投資理財；SMART 設定投資理財目標法則；恒指 2,000 點買賣策略；PILL 對症下藥選擇適合年金策略；退休支出三種錢；RICH DAD「富爸爸」投資房產考慮；四桶金配置策略等。

以上提到的只是《四桶金投資快上手》部份書中討論過的概念，這本書的內容很豐富，很值得想多了解投資的讀者仔細閱讀。

Chapter 6

怎樣可以
退而無憂？

不用擔心成為 「負累」

理財規劃的基本原則離不開都是收支管理。所以就算我們能夠按預算退休需要而努力儲蓄及達到目標，退休開始後都有機會因支出失控而出現周轉問題。其中一項到退休開始才令自己失預算的問題是家人的金錢需要。

在退休規劃過程中，家人的金錢需要對自己的退休生活影響有多大呢？在2017年時，美國美林環球財富管理集團和一所名為Age Wave的人口老化研究機構發布了一個家庭如何影響退休階段生活的調研，受訪人士年齡由25歲到70歲以上，近5,000人，不論在哪個年齡階段，他們都有一個共通點，便是在回答關於人生之中獲得最大滿足感的來源都是來自家庭，亦由於家庭的重要性，令受訪者擔心將來影響家人的生活。六成受訪的中、老年美國人表示，他們最大的憂慮是將來成為家人的負累。問題中亦有深入了解他們所說的

「負累」是甚麼，近半認為需要家人照顧他們退休後的起居生活是一種負累，除此之外，其他主要對負累的理解是打亂了家人的生活節奏、需要家人支付生活支出、令家庭各人出現情緒上的困擾、和被逼與家人同住等。

報告中指出今天比以往複雜的家庭結構亦令到退休生活易受家人影響。

首先是人口老化導致三代，甚至乎四代或以上的人都健在，需要照顧的人自然更多。所以中國有421家庭模式的說法，一個第三代可能要同時照顧上一代的父母及上二代的四個祖父母及外祖父母，當大家都沒有做好退休規劃，第三代便要承受很大的財政和心理壓力。

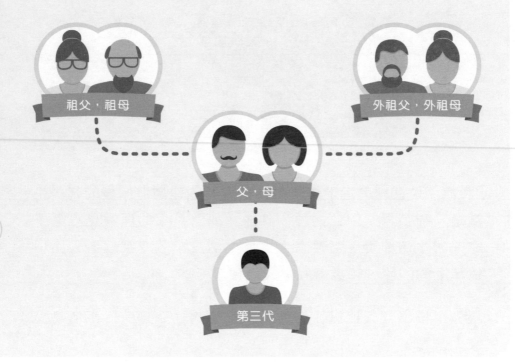

421家庭模式下，做好退休規劃，緩解第三代所承受的壓力

祖父，祖母

外祖父，外祖母

父，母

第三代

另外，人口流動性比以往增加，一家人可能分別在亞洲、歐洲及北美洲居住，落地生根，導致對家人的情感支援及生活照顧相對較以往少。有些長輩花了很多金錢，都是為了吸引更多注意及照顧，令自己生活質素也受到影響。

婚姻關係較以往難持久也令退休生活受影響。根據報告的統計數字，跟1960年相比，美國在2010年時，50歲或以上人士離婚的比例上升了七倍。當然這現象不單是美國的問題，全世界都有類似趨勢，例如在日本，其中一個近年流行的名稱便是「熟齡離婚」，也是反映類似現象。婚姻關係在知命之年後才改變，生活模式及法律關係也會改變，所需資金自然有分別。

報告中還提出一個名詞「家庭銀行」，意思是年長的家人需要為家人提供財政支援的狀況持續增加，報告指出62%的50歲以上受訪人士過去五年曾經提供財政支援給家庭其他成員。

不論身在何方，是否已退休，家庭及朋友都是美好生活的必須元素，但不少新趨勢已形成，令生活的挑戰增加。如不希望負累關心的親人，又要適應不能改變的時代趨勢，可以做的都是管理好收支，將預期支出有更全面的考慮，而盈餘應要更有效地管理。

人生階段
退休規劃

一個家庭有不同年齡層的成員，大家對理財的需要也不同，對一般35歲以下的家庭成員來說，對退休規劃的感覺是實在太遙遠了。如果明白理財概念中的時間價值概念，便知道早開始計劃，有機會可以用較少成本來滾存同樣目標，或是可以早些達到目標而提早退休，近年一個很流行的理財目標，稱為FIRE，即是Financial Independence, Retire Early（財務獨立及提早退休）的簡稱，你想做到便要趁青春多儲蓄及做好規劃。

不過，在退休規劃中，不同人生階段有不同的策略。一般針對退休規劃的人生階段包括：早期累積、中期累積、準備退休、退休階段及退休後期。這五個不同階段的重心都不同，因大家的理財心態都有分別。當然，不一定是某一歲數便必

須做甚麼，而是距離預期退休時間的不同，可以有不同的策略。

退休規劃五階段

早期累積　　中期累積　　準備退休　　退休階段　　退休後期

早期累積
階段

30歲左右年紀的人對為退休儲蓄的反應很可能是：「不是吧，這個年紀便想退休？以後再想吧，今天最重要是開開心心，能玩便玩，能吃便吃，享受現在！」除非他們自己提出要考慮退休，否則這個階段的人對退休來說實在感覺太遙遠，但早開始又的確有很大幫助，所以應針對怎樣表達退休規劃可以較容易接受呢？

如何能讓年輕人在這種心理影響下開始為退休準備呢？美國一些基金公司面對同一挑戰，便是希望年輕人願意早些開始為未來而投資，長遠可以累積儲蓄。如何將一些遙遠的目標，例如退休，變為一些短期的目標呢？有些基金公

司，包括Fidelity，JP Morgan和Vanguard等，都做著類
似的事情，便是為投資者設定一些檢查點（Checkpoints），
就是在不同的歲數應該為退休累積了多少資金，例如，今天
只是20多歲的投資者，可以給他們一個參考數字，30歲時
應該有多少儲蓄才會不用擔心退休生活呢？其中一間基金公
司的研究指出，到30歲的時候，應該儲蓄到當時一倍年薪的
金額作為退休儲備，以一個月薪金2.5萬為例，一年便是30
萬，根據這個指標，一個20多歲的年輕人，現在的目標就是
到30歲時有一筆已經為退休而儲蓄的資金，等於30萬，在
這例子裡，如果那位年輕人已儲蓄了30萬，就代表他已通過
了這個檢查點，可以再向下一個目標前進了。由於規劃時間
由數十年變為十年不到，計劃的逼切性便大了很多。

而計算的資產包括所有有機會在退休時才動用的資產，例如積金，其他長線儲蓄計劃，包括股票、基金、儲蓄保險和年金等。

以傳統方法來計算退休需要，假如一個20多歲年輕人的預期壽命到85歲，那他退休時至少要有過千萬才能享受基本的生活需要，相比十年內需要的30萬，30萬的目標感覺踏實及容易達到，動力自然會較強。

大多數人在面對困難的目標的時候會很容易放棄，所以如何讓年輕人保持動力就是關鍵所在。所以一開始可以先將目標定低一些，才會考慮及感覺可行性。另外，一般人都是喜歡花錢，不喜歡存錢，有了目標便有原因及方向如何儲蓄。還有很重要的一點，在這方法下，只要撥開一筆資金作退休規劃，剩下的資金便可以用來花費，代表花得有預算及安心。

想進一步了解這類基金公司在不同歲數的期望退休儲備金額，大家可以看我的《四桶金富足退休指南》。

中期累積階段

我所界定的中期，是大概10至15年後便退休的人士，一般年齡約40至50歲左右，有子女的話，估計約是在中學階段。

人生閱歷不少，加上還有不多於15年便面對退休，但事業發展可以有很大差異，有些發展不俗的，收入穩定，不希望人生有太大的轉變，但開始會擔心退休計劃是否能順利地按照想法進行。有甚麼因素導致他們有這個憂慮呢？其實最大的問題便是他們的人生經歷。

在這年紀的人，假如一向有投資，不論是股票，基金或房產等，由1997香港回歸中國開始的20多年，總會經歷過幾次金融和經濟動

盪，包括亞洲金融風暴（1997），科網泡沫爆破（2000），沙士（2003），美國金融海嘯（2008），歐債危機（2011），中國匯改引致股市大跌（2015），美股大調整導致港股大跌(2018年尾)。到2020年初，因疫症問題導致股票市場波動更大，香港恒生指數及美國道瓊斯工業平均指數的單日升跌幅度達到一千點以上亦是平常事。

當你曾經經歷那些年，再加上今天的環境，一定會體會到每次當你很樂觀地投資的時候，可能都會由於一些不能由個人控制的事情而導致輸錢；但當你輸錢而又覺得股市還會下跌的時候，股市反而升了，到你再買入的時候，股市又跌了。重重複複，經過了20多年，如果你運氣不好或是緣分未到（近年流行說「佛系」投資便是這個意思），你的財富可能都有增長，儲蓄亦有增加，但主要來源可能是因有穩定收入，嚴控支出，並非透過財富增值。

不論投資表現如何，這類人經歷了風風雨雨，開始會沉澱，踏實和思想較成熟，亦會面對一個疑問：雖然累積了投資經驗，假如未來再有黑天鵝或灰犀牛等非自己能控制的事件出

現時，怎知道之後的20年是否能夠像過去的20年般，就算是投資輸了錢，都仍然因有工作入息而可以有儲蓄呢？

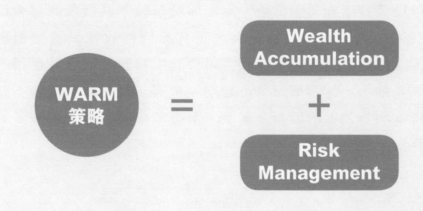

如果有這種憂慮，可考慮WARM策略，即是Wealth accumulation + Risk management，累積財富時同時管好風險！這個策略的重點不是為了追求更多財富而承擔更高風險，首要是確保能保存已累積財富及管理好仍然面對的個人風險，包括因「生、老、病、死」而導致的支出及責任。所以投資目標是先「穩守」，有機會才「突擊」，學習減少被

外來雜亂的資訊影響理財決定，資產組合方面可運用「四桶金」系統配置，首先保存適量應急資金，然後看各類保險保障是否已買對及足夠，包括人壽，醫療和危疾保單。之後再將可投資資金分為兩部份，第一部份是按不同階段的現金流需要而規劃的平穩收益組合，而有餘錢再放在長遠增值組合，一般適合配置在平穩收益組合的工具包括派息較平穩的股票及基金，儲蓄型保單及延期年金等，長遠增值組合主要是資本增長為主的股票及基金，還有非保證收益比例較多的儲蓄型保單等。

準備退休
階段

有大概五年便退休,這段時間又該考慮甚麼呢?相對中期累積階段,在這階段的家庭成員對於未來由工作帶來收入的期望已降低了,對他們來說,關注的問題就是現時再加上未來數年能存下來的錢到底能花多久,或是否足夠應付整個退休階段的支出。適合這類人士的理財策略便是PIE策略(Planning for Income & Expenses,入息及支出規劃)。

退休支出三部分

基本
生活費

消閒
娛樂費

醫藥費

退休支出通常分為三部份，基本生活費、消閒娛樂費及醫藥費，第一部份是不管世界發生甚麼事，都能夠收到的收入，適合的產品可以是年金。雖然年金的基本設計是作為對沖長壽風險的安排，但因年金也是一種「錢換錢」的收益產品，如果放進去的錢不多，收穫也不會多，所以按其他資產的配合而定，年金收益期不一定要選擇終身。假如能夠冒一點險，也可選一些非保證成分較高的產品，例如一些非保證成分較高的保單，或一些可派利息的股票或基金，這些產品潛在回報會較高，但相對風險也高了，但都可以配置為提供基本生活費的一部份，比例多少要看個人對保證收益的要求而定。

華人喜歡買樓收租概念，但用在製造退休現金流是一個錯的安排。一般情況下收租回報率相比不少理財產品都低，所以買樓投資的人主要應是期望物業升值，但以買樓收租製造退休入息的話，就算物業升了值都不會賣，而收了的租又可能不夠生活需要。投資在物業的金額不少，所以要想清楚到底是否適合。

第二部份是一種相對上靈活性較大的收入，專用來應付消閒娛樂方面的支出，例如去旅行。我曾經見過一對夫婦，他們想咨詢提早退休的可能性，丈夫是50出頭的中學老師，太太是公務員。老師很喜歡去旅行，但是他一年中能夠放下一切去旅行的時間只有暑假，所以他們想提早退休去旅行。這對夫婦想退休後一年去四次旅行，去體驗「慢活」形式的生活。

有些人可能會選擇「背包旅行」，那麼一年四次加起來可能五萬元都不用。但當你年過半百，背包旅行方式可能較吃力，而且到時追求的旅行方式，可能是慢慢行，住酒店，更有可能覺得人生還是要住過一些頂級的六星級酒店才無枉人生，這種情況下，一年數萬便不足夠了。以這對夫婦的個案為

例，他們認為一年四次旅行的支出便要15萬，每次平均約4萬。

跟剛才基本生活費的部份不同，這部份的收益原則是有錢可以多點娛樂消閒項目，錢減少了便少點娛樂，靈活性比較大，所以運用的理財工具的靈活性也可以較大，例如有股息收入的股票和有派息的混合資產基金也可以考慮。另一方面，可派發有限期收益的產品也適合，例如派發收益的儲蓄型保單。

第三部份是醫藥費，有病當然要看醫生，而無病便要早買醫療保險。要有效地控制退休後的醫藥費便應該安排全面醫療保障，除此之外，住院保險會隨年齡增長而增加保費，所以必須有一筆醫保保費儲備，用作應付退休後必須持有的住院保險的保費，保費儲備長線必須具備靈活性及平穩增長特質。

快將退休
階段

大概還有半年或幾個月便退休了，或是退休後的三數年，該考慮甚麼問題呢？快要退休的人面對的最大風險是甚麼？

是否「年紀大，機器壞」？不正確，因生病是任何人生階段都會出現的風險。快將退休階段的最大風險是由突然多了一筆資金而導致的，即是他們的退休金。根據我們常說的財富效應，這個時候他們會感覺自己很富有，因退休金的金額可以達到幾百萬，甚至過千萬，那他們就會覺得自己可以慢慢花，比別人花得起；亦可能因突然銀行戶口多了錢而花了比平常更多的錢；或者親朋好友知道他們有閒置的錢而問他們

借，但卻不一定會還；甚至有孩子的人可能會想可以用這筆錢成就孩子的將來，「成功靠老父幹」！很多的可能性會出現而令退休金「凍過水」，這就是對快將退休人士的最大風險。

對於快將退休的人的退休規劃是「應使得使，要使有得使」。應該現時要用的花費便要用，但是未來要用的錢也要保住，確保將來可以用，這也是一個財富組合。

退休後期階段

這個階段一般是70多歲人士，他們最擔心的不會是生活的需要，因基本要求不大，也不是病痛，因為都是預料中事，活到某個年紀，身體總會有些問題，只要身體差但還能有活動能力就可以了。除非真的有一些他們控制不了的病，例如腦退化症，失去自理能力，這便無話可說了。所以想在晚年能夠活得有尊嚴，起碼需要有一筆儲備用作長期護理，照顧自己，不用家人擔心。

家中長輩往往關心子孫多於自己的將來，子女的生活狀況已經清楚，因自己七十多

歲時，子女都應該四十歲以上了，很多人生大事都已經定下來了。所以長輩們關心較多的反而是孫兒，甚至是曾孫兒，這便是一般的承傳規劃，也就是在這階段會做的規劃。是否要等到八十歲才開始規劃呢？當然不是，當家人明白及認同了在不同人生階段需要不同的規劃的時候，便應該早點開始考慮，所以當有孫兒時便要開始計劃。視乎財富水平而定，非常富裕的長輩可能透過信託及大額人壽保單組合來安排，一般家庭可以利用遺囑及人壽保單來處理。

我剛說的是「退休人生規劃」，包含了不同人生階段，不是個人的安排，是家庭的規劃，以一對夫妻為例子，他們退休的方式可以是各有各單獨退休安排，可以是一起退休，也可以是一個退休，而另一半永不退休等，很多不同的情況，不可以用一個方式便包括所有。

夫婦規劃退休時保險的用途

年紀大了，面對患病風險必然增加，所以很多人都接受退休時，必需有全面保障的醫療保險及應付隨年齡而增加的保費的儲蓄。

除此之外，可能因有些人的大額人生責任，例如子女教育基金，家人生活費和償還供樓貸款等已在退休前完成，便以為人壽保險在退休後已沒有用途，這其實不是必然的，每個人，包括退休人士都要清楚人壽保險對自己的角色。

舉例來說，一對已退休的夫婦，當中只有一人正享有公務員長俸福利，而另一位並沒有任何入息，如享有長俸的伴侶離世，餘下的一位便即時失去收入，若平時沒有儲蓄，生活便會出問題。所以有長俸的退休公務員，應該適當地運用人壽保單保障伴侶未來收入。

另一種處境是夫婦年齡差距較大，尤其是男方年齡較大的情況，由於男女預期壽命相差有5年多，當男方不在時，未亡人不單要面對失去老伴的打擊，人生後期的生活也可能因缺乏儲蓄而受到影響。當夫婦年齡差距超過五年或以上的話，應該想一想怎樣運用人壽保障，為較年輕的一方的人生後期十年或以上的生活規劃。

對年長人士來說，由於沒有工作入息，但一定要付出生活費，所持有的資產不宜全都是波幅大或不能容易套現的類別，所以只有股票或物業的財富組合都不宜，組合中應有一定比例是相對低風險的資產，而傳統的低風險資產包括投資級別債券和高息定存等。但現時全球利息普遍偏低，而可見未來亦會維持這狀況，所以投資級別的債券年度收益不少都

只有2%至3%，但當加息周期開始後，債券價格會受影響而波動，跌幅達10%或以上也不奇怪，因此，現時持有債券的風險是收益不高及未來加息時價格會有較大波動，如擔心價格波動而持有短期債券或票據，收益又會進一步減少，更何況退休可以是一個超過20年或以上的時期，長期持有以短期債券為主的策略並不適合。

在這處境下，儲蓄型人壽保險產品也可考慮為其中一種替代債券的派發收益工具。退休人士最需要為不同階段準備現金流，如以儲蓄型人壽保單為派發收益工具，是需要預早安排，因這類工具要有足夠時間累積，才有較大機會每年平穩地派發4%至5%的收益。另據研究，在投資組合中加入有儲蓄成分的人壽保險單，亦有助降低組合整體風險及提升整體回報。

最後，如退休人士想預備多些資產給後人，又要保存資產為自己退休生活費，兩個目標都靠同一筆錢時，退休人士便要決定誰更重要。但透過人壽保險安排，可在百年歸老之後，有一筆保險賠償留給後人，自己生活費影響相對較小，這也是退休人士為何需購買人壽保險的一個原因。

Chapter 7

讓家人
無後顧之憂

子女尚小
必須有遺囑及儲蓄

「顧」和「故」字同音，這一課也同時談「照顧」和「身故」有
關的理財問題。

上一課後部份提到有些長輩會為了家人的將來而考慮身故後
如何安排財富，在家庭理財的範疇，這部份稱為遺產規劃或
是傳承規劃。有些人認為傳承規劃這類概念只適用於年紀大
及有錢的人，我認為這種說法不正確，真正需要考慮傳承規
劃的人，並非由年齡和財富水平決定，而是由有多少責任及
對家人的關懷決定。

香港花旗銀行在2019年時公布了一份有關人生保障準備的
調查報告，報告指出六成受訪人士擔心自己突然身故及家人
會出現財困，而受訪者期望身故時能留下的資產與現實有差
異。

香港花旗銀行有關人生保障準備調查報告

人生階段	人生責任	育兒	年期	基金
所有受訪者	254萬	94萬	67萬	415萬
事業起步階段	200萬	50萬	61萬	311萬
二人世界夫婦階段	211萬	52萬	66萬	329萬
供養子女階段	465萬	94萬	94萬	653萬
退休階段	105萬	182萬	63萬	350萬

資料來源：2019 年 1 月 28 日《明報》

從以上資料看到，最大人生責任階段並非年紀最大的一群，而是需要供養子女的父母，另外，不論你在哪階段，都有對家人的責任，愈多家人需要照顧，便愈大責任。

我認為最需要傳承規劃的人，是有未成年子女要照顧的父母，他們責任重大，需要履行責任的時間亦很長，萬一在孩子未獨立前，他們發生了任何事情而早逝，導致不能繼續履行責任，孩子的將來便會嚴重地受影響，但大部份育有未成年子女的父母事業都可能仍在發展階段，亦有很多負擔，因此已累積的儲蓄一般不多，所以只能夠依靠足夠的人壽保障額來應付這種潛在風險，隨年紀和人生階段改變，人生責任亦會改變。

最簡單及便宜的傳承規劃工具便是遺囑，在香港年滿十八歲便能夠訂立遺囑，這是一份法律文件，列明去世後，立遺囑者所遺下的資產將如何分配。

假如沒有訂立遺囑而去世，便會根據《無遺囑者遺產條例》而作出遺產分配，需要照顧的親人有機會在條例下的排列次序較後或不獲分配而失去依靠；相反，訂立了一份有效的遺囑後，便能夠按立遺囑者的意願將遺產分配給任何人士或機構，而不一定需要有任何血緣關係。因此有未成年子女的父母，必須為孩子的將來而訂立遺囑，我和太太的遺囑是大女兒出生那年訂立的，平常不去想便以為沒有問題，當要安排時卻發覺委任遺囑執行人和孩子監護人都不簡單，需要考慮很多因素，所以有計劃便能減少往後的複雜性。

當準備訂立遺囑前，需要想清楚兩件事情。

1. 有甚麼意願需要在去世後由別人代為執行？

2. 誰會擔任遺囑執行人，見證人和受益人，假如有未成年親人要照顧的話，誰會是監護人？

遺囑內容中，需要考慮的事項有很多，根據香港大學法律及資訊科技研究中心管理的「社區法網」網站資料顯示，最少有十點需要注意的事項，包括立遺囑者的居留國家及居留權；遺囑執行的安排；葬禮安排；個人財物的分配；如何處理遺贈；分配遺產的準則；假如是夫婦關係，如何設定共同遇難條款；針對無行為能力人士為受益人的安排細節；還有年幼子女的監護人安排；最後是持續供養其他人的安排。

每人的需要和背景都不同，所以這十點不一定能夠包括所有的需要，必須根據個人情況而加減內容。

簽立遺囑時必須頭腦清醒，所以不要在匆忙時安排，必須事前有充裕時間考慮清楚如何訂立，假如超過一個受益人，

而他們的關係又不是非常和諧的話，更加要確保遺囑的有效性，簽立遺囑時需要有專家在場，包括律師和醫生等等，否則到將來人不在時才出現爭拗，質疑遺囑的有效性，到時只會令資源內耗及更傷和氣，隨時浪費了立遺囑者的一番心意。

⚠️ 緊記 ⚠️

遺囑內容
須定期檢討

對一般家庭來說，遺囑的內容要求應該比較簡單，所以收費不會高，相信一般情況下簡單的遺囑只需要不多於二千元已可訂立，但另一重要問題是要確保遺囑能夠妥當保存，要令受益人知道這份文件的存在，亦要令他們知道將來在甚麼地方能夠找到這份文件。

未到公布內容的一天，即是立遺囑者仍在生，遺囑內容都能夠更改。而遺囑中所包括的資產仍未成為遺產前，有機會會失去，升值或減值，所以遺囑內容或分配的安排亦可能隨着資產變化而出現改變，訂立遺囑內容時亦要想清楚，如果資產出現變化，遺囑執行人可以如何配合，當然定期檢討是必須步驟，避免以為做好了安排，但將來反而製造了更大混亂。

除了遺囑，面對儲蓄不足的問題，可以透過購買大保障額的人壽保險單處理，資金多少，決定了所購買的人壽保單中定期保險及終身壽險的比例，無論如何，保障金額是首要考慮，萬一將來需要時才發覺保障不足，已是沒法彌補了。如果負擔能力容許，可以持有多些有儲蓄成份的終身人壽保單，因到將來責任完成而仍然健在時，也可以多一筆資金按喜好而運用。

退休人士的傳承規劃

一般退休人士要照顧家人的責任都已完成了，至於財富傳承規劃最基本要能夠做到，是當百年歸老時或是自己沒有行為能力作出決定時，能夠由既定意願作出分配，由於家庭及資產狀況不同，所以規劃可以是很複雜的安排，亦可能是很簡單地透過不同工具規劃便可。不論情況是否複雜，規劃的起始考慮不是有多充裕的財富，而是有多少責任及期望，假如人不在時，都仍然想繼續守護愛或關心的人，便應該有適當的財富傳承計劃。

財產規劃永遠都不會嫌太早開始！

第一步是要先了解自己有甚麼資產在手，而資產包括所有的投資、退休金、不論有否現金價值的保險保單、自住及投資的物業、經營業務。除此之外，有一點需要特別留神，所謂

任何有價值的東西都需要計算的意思，是擁有金錢價值或情感價值的東西都要計算在內。以往有些報導也有提到，家人可能因為一些先人不值錢的遺物而有爭拗，甚至對簿公堂，因為有些只有紀念價值而沒有任何市場價值的遺物，對某些人來說，可能比生命更重要。

第二步是要決定，希望透過目前及將來的資產能達到怎樣的人生目標，例如，有甚麼人你希望能夠在將來給他一定價值的資產呢？當計劃開始時，亦是時候去考慮身邊誰是你最能夠信任的人，他或她不一定是血緣上最親的人，他或她的角色是可以為你處理日常資產管理的問題外，還有便是當失去個人行為能力時，他或她能夠照顧你的生活。

第三步便是當決定了所有安排之後，將你的計劃跟所有將來有機會獲得資產的人討論，越能夠清楚列出及表達你的意願，將來出現的爭拗便會越少。

當然，即時攤牌總會令一些人不高興，或有些感覺不公的人感到不高興，但現時便清楚表明可以令大家早些接受現實而減少未來的煩惱。

一個好的傳承計劃能帶給自己及後人很多好處：

（一） 能夠將資產確定分配給指定人士，透過計劃能夠成為法律文件，減少將來爭拗；

（二） 雖然香港已經取消遺產稅，但其餘國家，甚至內地都會有這類的稅項，能夠早開始計劃自然能夠針對政策而作出適當而合法的安排，從而減少稅務上的支出；

（三） 沒有經過詳細審視，很多人都不了解自己的財政狀況，所以為了家人未來的安排，今天檢視資產亦能夠幫助自己清楚能夠怎樣運用資金及可以有怎樣水平的生活。

在退休開始後，資產充裕，不用擔心生活費，而時間又運用恰當及充實，生活自然能夠過得舒適。以上是有計劃地退休而達到的效果，假如出現了一些不能控制的情況，效果將會大打折扣，不要說優質退休生活，甚至可能連生存都不想，但又不能選擇。

根據香港認知障礙症協會網頁資料，現時全球每三秒便有一人確診認知障礙症，而香港每十名70歲或以上長者便有一名患上，而85歲以上患病率更達三分之一，情況嚴重。當患上認知障礙症時，患者認知能力會逐漸喪失，包括記憶力、語言能力、執行、計算和決策能力等等，不單不能照顧自己生活及影響情緒，更會影響家人。

訂立
持久授權書

家中有老伴能照顧自己生活還好，但對方又未必能夠協助處理金錢問題，假如有些家庭成員的關係不融洽，到時更要擔心因自己出現健康問題而導致有人會借機將生活需要的資金提走，令到自己及照顧者的生活都受影響。

在退休規劃時必需考慮出現這種狀況的機會及處理方法，安排持久授權書便是一個能夠繼續維持生活需要的適當做法。除此之外，對財富非常充裕的長者來說，更需要知道應怎樣將一些預備留給後人的財富好好管理，減少未來的爭拗。

根據香港法例第501章《持久授權書條例》，持久授權書容許授權人在精神上有能力行事時，委任受權人，以便在授權人日後變得精神上無行為能力時，受權人可照顧其財務事項。

持久授權書容許授權人選擇一名或以上受權人在自己變得無能力照顧時代替其處理財務事項。要成為受權人必需是18歲

或以上成人，沒有破產及精神上有能力行事，亦能夠是專業信託法團。

而訂立持久授權書前，授權人要考慮具體的授權指示，因不同的資產價值和類別的管理方式可能不同，還有是否需要額外加上制約，確保受權人需事先咨詢指定人士意見。

訂立持久授權書時，必需由授權人和受權人簽名作實，還須在一名註冊醫生和一名律師面前簽署，而受權人亦需有見證人的狀況下簽署持久授權書。

授權人可決定持久授權書的生效時間，可以是授權人在律師面前簽署的日子或是之後的指定日期或在指定事件發生時。而在指定情況下，持久授權書亦能夠撤銷，包括授權人在精神上有行為能力時或是從無行為能力狀況康復之後，向法院申請並獲法院確認。

另一方面，當授權人或受權人被頒令破產或是死亡時，亦有機會撤銷持久授權書。訂立持久授權書的收費並沒有規限，視乎專業人士要求，一般來說，可以由數千元至數萬元不等。最後，申請註冊持久授權書需要書面向高等法院司法常務官提交申請。

人生後期需訂立「預設醫療指示」

雖然今天醫療科技發達，但對某些疾病仍然未能夠完全了解及徹底治療，而對於年長的病患者來說，由於受年齡及身體狀況影響，患病後有機會要承受持續的痛苦，但身體又不能完全康復，所以有些會考慮放棄治療。根據醫院管理局的資料顯示，只要年滿十八歲、精神能自主及知情的病人，可訂立「預設醫療指示」，清晰闡述當到生命末段而不能自決時，在甚麼特定情況下拒絕一些維生治療。

在普通法制度下，有效和適用的「預設醫療指示」有法定效力。香港現時並沒有法例規定預設醫療指示要以何種形式表達，但是醫管局有特定的「預設醫療指示」表格，供醫管局病人使用，表格涵蓋以下情況：

一、病情已到了末期。當病人患有嚴重、持續惡化及不可逆

轉的疾病，而且對針對病源的治療毫無反應，預期壽命僅數
日至數月。

二、持續植物人狀況或不可逆轉的昏迷狀況。

三、其他晚期不可逆轉的生存受限疾病。例子包括晚期腎衰
竭病人、晚期運動神經元疾病或晚期慢性阻塞性肺病病人
等。

醫管局的「預設醫療指示」表格可在以下連結下載：

https://www.ha.org.hk/haho/ho/psrm/CEC-GE-1_
appendix1_b5.pdf

這表格必須由病人和兩名見證人簽署，其中一名見證人必須是香港註冊醫生，而兩名見證人均不得在預設醫療指示作出者的遺產中有任何權益。填好的「預設醫療指示」表格是病人擁有的文件，需由病人和家屬小心保管，並在送院時，把正本呈給醫護人員，以便在適用的情況下執行病人的「預設醫療指示」。如病人在確立「預設醫療指示」後改變主意，要盡快通知醫護人員，並修正或取消「預設醫療指示」文件。如版本有分歧，醫護人員會以病人擁有的正本為準。「預設醫療指示」是在病人喪失自決能力，並由醫護人員確定該指示所提的疾病是適用於現時情況才會執行。如醫護人員懷疑文件是否適用，例如昏迷是其他原因引致，或文件是否有效，例如曾經被毀壞，醫護人員可決定先為病人提供急救。如果「預設醫療指示」適用和有效，醫護人員有責任執行；任何人，包括家屬，均不可以推翻其「預設醫療指示」。

醫管局在 2004 年開始推行「預設醫療指示」，根據醫管局數字，2013 年有 300 多宗「預設醫療指示」，2018 年上升至 1500 多宗，而現時「預設醫療指示」以非立法方式推行，政府建議未來改以立法方式推展。政府建議為「預設醫療指示」

立法和訂明細則，並釐清「預設醫療指示」與現行法例的衝突，包括修訂《精神健康條例》、《消防條例》及《死因裁判官條例》，讓醫護意見不得凌駕有效的「預設醫療指示」、需要尊重病人已定下的指示。為期三個月的公眾咨詢於2019年9月6日起展開，到我寫作這書時仍未有報告，大家想進一步了解有關「預設醫療指示」的資料及發展，可參考以下連結。

https://www.ha.org.hk/haho/ho/psrm/Public_education1.pdf

https://www.fhb.gov.hk/cn/press_and_publications/consultation/190900_eolcare/index.html

特殊需要信託

假如有需要特別照顧的家人，而又擔心自己不在時沒有人可幫忙繼續照顧，特殊需要信託可能是一個考慮方案。香港社會福利署在2018年12月成立了特殊需要信託辦事處由社會福利署署長法團擔任「特殊需要信託」的受託人，在家長離世後管理他們遺下的財產，並按照他們的意願定期向其子女的照顧者或機構發放款項，以確保他們的財產用於繼續照顧其子女的長遠生活需要上。

委託人需要是年滿18歲，有特殊需要人士的家長或親屬，於簽訂信託契約時並非未解除破產的人士；及香港永久性居民。

受益人而要是智障（包括唐氏綜合症）、精神紊亂或自閉症人士；符合申請社署資助康復服務資格或教育局的特殊學校收

生資格;及香港永久性居民和通常居住於香港。

「特殊需要信託」在戶口啟動後,須收取年費。現時每個信託
戶口的年費為港幣21,000元。有關年費每年將按相關開支
的變動調整。因此開始時有需要的申請人便要首先準備首次
注資金額,金額不少於225,000元,包括12個月生活費及
管理年費(17,000元×12個月+21,000元)。

有些評論說入場費過高,但從現實考慮,按一般生活需要,
金額不算高,管理費平均每月1,750元亦算合理,所以可理
解這並非福利政策。但當有家人需要這類服務,而財政上能
夠負擔的話,我相信由政府管理總會較少擔心。從家庭理財

角度考慮，長遠有這需要的話，便應該早些開始控制支出及
為未來家人的照顧需要而儲蓄。

有關「特殊需要信託」的更多資訊，可參考以下連結：

社會福利署「特殊需要信託」網頁
https://www.swd.gov.hk/tc/index/site_pubsvc/page_
rehab/sub_listofserv/id_snto/

「特殊需要信託」服務簡介短片
https://www.youtube.com/watch?v=sj34oem2RGA

「特殊需要信託」知多點小冊子
（由香港大學社會工作及社會行政學系製作）
http://www.hk-dsa.org.hk/pdf/SNTleaflet_Chi.pdf

Chapter 8

你對金錢態度，
影響財富進度

檢視你的
金錢態度

一人做事一人當！但在家庭理財來說，任何決定都不是一個人的事。不論有沒有孩子，一對伴侶對金錢的態度和行為都會互相影響。你有否以下的行為或態度呢？

- 運用金錢作為一種控制對方行為的工具。由於大家的財政狀況不同，例如收入和儲蓄有明顯差別，其中一方因某些原因而需要幫忙，另一方便運用這種需要而控制對方。

- 看不過眼對方的用錢或理財行為而爭吵。雙方未能夠明白對方對金錢的想法，尤其是有關對金錢的恐懼和導致這些問題發生的原因，在大家不了解對方的問題下，便會對對方一些行為感覺奇怪，甚至看不過眼，而慢慢便會因為這些不協調而導致大家多了爭吵和不信任。

· 認為自己對物質的想要便是對方的需要。需要和想要屬於很主觀的想法和追求，由於大家在不同的背景中成長，導致對物質的要求和追求有分別。以為自己要的便是對方想要的東西，便可能錯了，而錯誤亦令對方感覺不被明白，感覺大家的核心價值有異。

· 雙方在一些重要用錢決定爭持沒共識，例如孩子的教育安排或買樓的考慮。假若大家對事情看法有明顯差別，便會出現衝突，從平常的購買決定便能知道。

· 因對方未和你商量便做了購買決定而不高興。由於雙方存在不清晰的理財協議及次序，因此對各種需要的想法和

次序都可能會不同。當未搞清楚便相信這是對大家都好的安排，另一方相對便會感覺不被尊重。

- 被設定了角色而不高興。傳統和文化會假設了大家在家庭和事業的角色，例如華人世界會假設男主外，女主內，認為男方必然是家庭的經濟支柱。當其中一方被設定要負責一些他未必應付到的工作，例如要應付家庭的所有日常支出，假如他不認同時，便會出現爭拗。

- 在管理財政時向對方隱瞞。很多時候這方面都是牽涉到一些財務上責任或是金錢問題，由於不想對方煩惱，又或是不希望對方多管閒事，因而不向對方透露。但若處理不當，或無能力處理，結果都是出現問題時才無奈地告知對方，到時便是補救策略，隨時處理不當而導致家庭整體財政出現問題，情緒亦一定受影響。

家庭理財與個人理財的其中一個分別便是不只向自己負責，還應該考慮對方及其他家人的需要，有些決定可能對自己有利，但過程中便要取捨。當我們能夠想到其他家人的需要而作出考慮和讓步時，整個理財方案才是最好的方案。

八種金錢個性，
你是哪種？

一家人共同生活最少二、三十年，甚至更長，而每個人對錢的感覺或態度都可能不同，即是金錢個性，這亦會影響我們如何面對人生。金錢個性是一個世界各地都適用的題目，所以有不少的學者，理財專家和心理學家都有興趣研究，有些更會將人的金錢個性分類，希望能更有系統地協助人去處理金錢問題。2014年，我在美國Money Coaching Institute考取了專業資格，成為首位香港的認可理財教練（CMC®），這學院有一套獨特方法，將人的金錢個性分為八大類，我會逐一分享及提醒擁有不同金錢個性的人需要注意的事項。

我從事理財教練工作多年，時常在不同場合分享如何能夠改善或提升個人理財能力，也了解到今天的處境很多時都與過

去一些成長經歷有關，但今次重點是令讀者能夠初步了解自己，達到「忘記過去，展望將來」的效果。

這八種金錢個性分別是：（一）年幼無知型；（二）受害者型；（三）勇士型；（四）烈士型；（五）笨蛋形；（六）藝術家型；（七）暴君型；及（八）魔法師型。

（一）「年幼無知」型

我通常會用「鴕鳥政策」來形容這類人處理金錢的方法，他們採取不聞不問的做法，以為人不犯我，我不犯人，只要不理便沒有煩惱。他們很容易被大量的財務知識或資訊擊倒，不知如何是好，需要依賴別人幫忙。因此，只要對方能夠令他們不用面對理財決定，便投以絕對信任，有時根本連自己身處的情況如何也不了解下，便貿貿然做了很多金錢相關的決定。

這種看似有人幫忙而不用自己煩惱的心態有時會令人羨慕，但從另一角度去看，當需要面對問題時而沒有任何想法或決定，實際亦存在很大的風險。

例如某人當股票市場向上時，聽從一位朋友的建議，投資到一隻那一刻表現很亮麗的股票，以為可以「搭順風車」賺一筆，但買入後，因政治及經濟環境變化而令當炒股變成蝕本貨，而事前並沒有考慮過這個投資決定是否配合自己的風險承擔水平，亦沒有比較過朋友與自己的財政狀況。如果他沒有多少儲蓄，並將薪金押上，期望可以短期賣出獲利離場，結果是輸錢兼要用錢而被逼蝕賣股票，因一個錯誤決定而蒙受損失，更影響了生活，如果同樣情況重複發生，怎麼辦呢？

在成長過程中，我們會從人生歷程中學習及吸收知識，檢討得失和累積經驗，期望將來可以作出更適當的理財決策。但對於這類「年幼無知」型金錢個性的人士來說，像從沒有成長，沒事發生還好，但是有問題時便不懂處理。他們要學習理財知識及尋求一些真誠而可靠的人士協助管理財富。

（二）「受害者」型

擁有「受害者」型金錢個性的人容易傾向於活在過去，而針對個人的財政上有問題的話，亦較容易怪責他人，屬於消極抵抗的類別。他們平時的行為往往容易混淆了「年幼無知」型的金錢個性，因為「受害者」型的人看來沒有任何權力，所以期望獲得其他人的照顧和幫助。其實這種姿態是他們的計謀，希望能夠得到別人援手，而自己卻待在一旁，冷眼旁觀。

通常「受害者」型的人會有很多原因去解釋為何他們未能管理好財政，而平常的理財方法，可能都是建基於常見但不一定正確的觀點。顧名思義，擁有「受害者」型金錢個性的人，亦可能真是曾經有不愉快經歷，但他們總會覺得自己已經面對過很多不好的問題或處境，所以有權要求其他人為他們代勞。

當他們時常想着過去，認為人人都和他過不去，精力只花在這些思想糾纏之中，未來便難以改變。例如在進行財富管理時，只記得以往曾經有人給了一些不適當的建議而導致損失，便認為對方應該負全責，而對方沒有行動時，你卻任由財富組合持續表現不濟，結果只是影響自己。

當你有這類只怪別人，而不檢討自己的理財心態時，你可能便是這類「受害者」型金錢個性的人，如不振作及自力更生，將來的結果亦如今天一樣，這是否你的期望呢？

199

（三）「勇士」型

「勇士」型金錢個性的人，一般在商業或是金融世界中都能夠取得成就，他們可能是擅長投資的人，能夠專注、果斷行事及控制大局。雖然「勇士」型金錢個性的人，都有聽取專家意見的時間，但一般情況下，最後都是透過個人的直覺來作出決定。

對於這類人來說，他們身邊總有一些有不同意見的人，但他們較難分清楚誰的說話對他有幫助，原因是他會將自己放在最重要的位置，而當別人的意見和他不一樣時，總會覺得其他人並不可靠。假如你是一個很有自信，很懂得計算，目標為本，有自制力，財政上很成功及認為自己充滿能力的人，很大機會便是一位「勇士」型金錢個性的人。

在理財決策過程中，當然需要有個人見解，但有些事情是不用堅持的。例如所選擇的投資工具是否一定要穩賺不賠，又或是認為只要嚴格控制生活習慣便能避開疾病，這些都牽涉到非個人能力控制的因素。所以作為「勇士」型金錢個性的人，除了忠於自己，亦要明白單打獨鬥並非能長期堅持的做法，應學習尋找夥伴。

(四)「烈士」型

大家有否認識一些會時常埋怨別人，覺得自己為別人盡心盡力，到頭來卻甚麼也得不到。例如一位太太會投訴她的丈夫

花盡了她的積蓄而不照顧她，又或是孩子需要用錢時才會跟她聯絡，甚至乎和朋友合作投資又被騙財等等。經歷了這些事情後他們通常都不會信任其他人，只相信保護自己的金錢就是最大人生目標。這類人便是屬於「烈士」型金錢個性的人，顧名思義，是容易為理想而犧牲的金錢個性。

他們看事情時，總會覺得自己只是為別人而活，但當每次付出後，結果總是得不到期望回報，只令自己難受。通常他們的動力來自兩方面：

一、希望透過金錢去得到控制權，令別人跟隨自己意願行事；

二、他們就像受了傷的小孩，期望得到別人的安慰。

「烈士」型金錢個性的人是完美主義者，所以對自己及其他人都有很高的期望，每次付出後便期望有好事發生，情緒便會高漲，但當結果未如理想時，情緒又會低落，所以人生大部分時間都會經歷很大的情緒波動。

假如這種金錢個性在退休後出現，會令情緒困擾更大，因為

沒有工作收入，只依靠儲蓄，想利用金錢控制他人的本錢便會減少，當不高興情緒佔據了人生大部分時間時，退休生活不說也明白不會是享受。尋根究底，導致這種行為及想法的原因有可能是個人以往成長過程中的經歷，但不懂得放下，最終只是自己受苦，所以「烈士」型金錢個性的人需要學習放下，否則只會令身邊人對你疏遠，關心更少。

(五)「笨蛋」型

有句諺語說：「笨蛋難聚財」，正好用來形容「笨蛋」型金錢個性的人，他們可以是有很強賺錢能力的人，但往往財來財去，一有儲蓄便很容易花光。他們亦是冒險家，心態總是認為「有賭未為輸」，鍾愛高風險投資，因為可以「賺快錢」。「三更窮，五更富」通常用作形容賭徒，也適用於形容「笨蛋」型金錢個性的人。

他們偏向於活在當下，較少想到未來，只要這刻感覺良好便會大灑金錢。認識「笨蛋」

型金錢個性的朋友絕對是好事，因為他們會是疏財仗義的朋友。友人有需要時他們會幫忙，但幫忙前並不會檢視自己的財政狀況，所以到自己面對有金錢需要時，可能因為已借了給別人而導致自己過不了財政難關。

雖然不應該只用金錢衡量人際關係，但「笨蛋」型金錢個性的人的理財方法並不適當，在有收入時，還可應付，但有機會沒有為未來計劃而儲蓄，到退休後，亦因為沒有清楚了解需要而令到人生後期生活潦倒，所以「笨蛋」型金錢個性的人，可能需要有其他可信任的人為他管理好財富，又或是多認識一些「烈士」型金錢個性的人，期望他們將來會照顧自己。

（六）「藝術家」型

一談到藝術家，很容易會聯想到有獨特的風格和個性，我行我素，一般都有高尚情操，視錢財如糞土。但有趣的是不少知名的藝術家的作品卻被世俗人追捧，不

惜用上大量金錢都要擁有，這現象反映的矛盾是藝術家的價值往往是由別人來評定，並非自己控制。

所以「藝術家」型金錢個性的人，時常面對來自自己的挑戰，一方面對金錢和物質世界的看法是感覺鄙視和厭惡，但又期望別人對自己的價值有高評價，所以亦容易恐懼既有的金錢觀念是否真實可靠，也容易因為忽視了金錢的實際用途而容易缺乏累積財富的行為和能力，導致時常面對和金錢有關的掙扎。他們的能力毋庸置疑，但是要改變現狀便要先處理個人的信念。

「藝術家」型金錢個性的人比較喜愛追求靈性上的富足，相信物質上的享受不重要，所以並不需要有很多儲蓄，亦不需要花時間傷腦筋怎樣管理財富，甚至亦可能花費大量金錢在一些能提升靈性上滿足度的支出。這些想法假設所有財富相關的決定都是自己可以控制，但現實是有些收入和支出卻是身不由己，甚至無人能控制，例如個人身體健康狀況或患病，還有親友的金錢幫忙等等。

要成為別人欣賞的藝術家，亦需要學習欣賞別人的世界，所

以「藝術家」型金錢個性的人，需要學習雙重個性，除了要
照顧自己內在的信念，也要參考別人的想法，如靈性上的溝
通能夠由個人推進到群體，相信能得到的啟發和滿足感應更
大。

（七）「暴君」型

「暴君」型金錢個性的人信奉「錢能通神」，
只懂得利用金錢來控制別人，他們通常累
積了不少財富，而從來不會有任何物質上
的缺少，只可惜他們甚少可以感覺到生活
的充實，舒適以及平靜。原因是他們時
刻都有憂慮會失去對人和事的控制權。

他們在追求權力和控制權時，主要是從個人利益出
發，不介意「為求目的，不擇手段」。在社會上，不少人都
會奉擁有權力和財富的人為偶像，他們可能是政治領袖，大
商家，甚至乎在家庭中最有賺錢能力的人，假如他們亦擁有
「暴君」型的金錢個性，便會出現自私地操縱他人的行為。

可惜並非所有事情都能夠用金錢買到，最簡單便是他人對你的真心認同和關心，當大家習慣了對一個「暴君」型金錢個性的人的聯繫，是因有錢或好處才有表面關心，他便會憂慮將來沒有錢時便失去一切，但今天又不想失去這些買來的關心而不花錢，難怪長期處於憂慮恐懼而沒有滿足感的心態，更不要想可以實現和家人「同甘共苦」的夢想。對他們來說，要多了解甚麼是「要放手才能擁有更多」。

（八）「魔法師」型

魔法師泛指一些擁有神秘力量的人，在一些奇幻題材的電影中都常有這類角色出現，只要運用他們的能力，往往能夠轉危為機或改變結果。擁有「魔法師」型金錢個性的人，顧名思義，能夠在生活中協助自己及關心的人達到期望結果，他們清晰了解自己的財政狀況及有計劃怎樣去改變，再將計劃變成行動，結果是更有信心地面對未來的生活。而這類人不論

有多少財富，都能夠滿足現狀，及展望未來。

擁有「魔法師」型金錢個性的人，能夠將過去發生了的經歷轉化成為知識，擁有富足的心靈，現實世界發生的事情往往能夠啟發他們一些新想法，為未來有更好的規劃。

例如今天面對經濟環境不明朗時，有些人會擔心未來生活受影響，儲蓄不多的人更會擔心沒有收入而只有支出，很容易「坐食山崩」，終日誠惶誠恐，理財決定上可能走向極端，有些人會過度保守，不敢投資，亦不敢消費；又或是為了有多些生活費，而進行過度進取投資，結果如何難以預料，但過度憂慮，甚至身體及心理健康也會受到影響。

但「魔法師」型金錢個性的人不會糾纏於過去，過去經歷過經濟不振時的情況會是很好的參考，但不會只依附在過去的處境，更不會一成不變地坐以待斃，反而會深入了解自己的狀況而在心理上做足準備，財富組合當然亦會適度調整，但不是走向以上的兩個極端，就算面對逆境，亦相信自己有足夠信心和能力去面對。相信不等同過度自信，分別是前者在事前已先從心出發，了解了自己的強項和限制，才執行計劃，後者一般容易受外在環境因素影響想法。

每個家庭成員過去和金錢有關的經歷可以影響到家庭未來的財富規劃決定及發展，而形成不同金錢個性類型的原因有機會受先天性格影響，亦可能是後天的因素，因接觸金錢時產生不同經歷，之後演變成和金錢之間出現了不同關係，例如希望運用錢來獲得愛，權力或控制，又或是因恐懼感而對金錢有不同的理解。要清楚及接受自己是甚麼金錢類型，也要接受人有差異，亦有不同過去，才形成今天的自己，而最重要是要怎樣改變或保存甚麼個人特質，可以令今天及未來活得更好。除了個人，亦可以運用金錢個性來多了解他人，令人際關係改善。

如想多了解我所提出的金錢個性概念及怎樣應用在與伴侶之間的金錢對話（Money Talk），大家可以參考以下兩本由我老師Ms. Deborah Price所寫的書，她正是美國Money Coaching Institute的創辦人。

1) Money Magic: Unleashing Your True Potential for Prosperity and Fulfillment

2) The Heart of Money: A Couple's Guide to Creating True Financial Intimacy

我亦打算將來會透過課程及講座推廣家庭理財心理學，協助家長或夫婦「管好盤數，搞好關係」，有關資料將於我的facebook專頁發布（【Alvin Money Coach】及【家庭理財教育學會】）。

Chapter 9

兩性金錢觀——
婚姻的必修課

婚前婚後
要講金

相信大家都聽過「貧賤夫妻百事哀」和「巧婦難為無米炊」等諺語，亦明白它們的意思，簡單來說便是一個家庭沒錢便萬萬不能，甚麼都做不成。可是，你要分清這是結果或是原因。除此之外，擁有充裕財富和賺錢能力的夫婦是否便一定幸福滿溢呢？不少已發展國家的調研都指出，金錢問題是影響夫婦關係的一個重要因素，如處理不當，可能會產生更大困擾，甚至導致關係結束。因此，不論你現時的家庭財政狀況如何，都要了解如何正確地運用金錢提升關係。

在婚姻輔導中，如何共同面對金錢問題也是一個越來越重要的話題。我知道「香港家庭福利會」便會舉辦有關的講座，其中在 2020 年便為新婚及準備結婚人士舉行名為「婚前唔講金，婚後就講分」的伴侶關係及金錢講座。香港在這方

面正開始發展，但美國已推行了不短時間，亦有相關的專業發展，因此，我邀請了一位海外專家為我在這個話題分享，Winnie Chen和我是透過在美國Money Coaching Institute的學習而認識，這一課將由她主力負責。

Winnie Chen 個人介紹

致富人格（UYW Financial Wellness）顧問培訓師；致富人格顧問學院創辦人。維妮在多年財金界工作經驗中涉略不同領域，包含個人銀行、財務規劃、人事及企業管理、國際金錢教練等職責。憑藉多年的國際財務規劃師，國際金錢教練和企業管理／事業經營的經驗，維妮在2018年出版第一本個人理財書──《跟理財談一場戀愛吧！》將複雜簡單化，用貼近生活的日常對話引導讀者學習如何管理自己的財富；並在同年設立了致富人格顧問學院，幫助客戶跟學員找出「跟金錢之間的WHY」，指導改變既有行為／模式／信念體系，並透過有效的策略和工具賦予自己能力，擺脫財務壓力，享受富足人生。

現任

- 致富人格顧問培訓師；致富人格顧問學院創辦人
- 【Unblock Your Wealth解開你的財務枷鎖】創辦人/執行長
- FPA WA Chapter committee澳洲財務規劃師協會西澳分會理事委員
- FPA Women in Wealth澳洲西澳財經女性協會理事委員
- 作家/講師

相關曾擔任的財務策劃工作

- 澳洲西澳私人財務管理公司人事業務經理
- 澳洲國民銀行西澳財務規劃部區經理
- 澳洲國民銀行資深財務規劃師

專業資格

- 澳洲國際認證財務規劃師（Certified Financial Planner）
- 國際認證金錢行為教練（Certified Money Coach）
- 國際認證商業行為教練（Certified Business Archetype Coach）

學歷

- 美國德州大學EMBA商學碩士
- 台灣實踐大學 外文系

個案分享：
親愛的，
我們需要談談！

與久未見面的老同事小芬突然在線上聊了起來，決定相約出來吃頓飯。

或許是平常全心照顧兩個在幼稚園國小就學的孩子而無心妝扮，小芬穿著一身寬鬆，脂粉未施的赴約，全然不像當年幹練的她。

十幾年沒見的老同事，兩個人話匣子一開就停不下來。

我們聊著記憶往事跟現在的近況，當然也提到了婚姻，孩子的教育問題跟有趣的婆媳關係。

維妮：我實在很難想像當年叱吒風雲的妳，現在是帶兩個孩子的全職媽媽！這樣的轉變，你自己還習慣嗎？

小芬：其實當初也有想結婚生子後還是繼續工作，但後來第二個孩子出生後發現實在無法兩邊兼顧，再加上雙方的家長都住在其他城市，我跟先生兩人商量後決定我把工作辭了，在家裡專心帶孩子，而他就繼續在職場上打拼。想想這樣也5年了，時間過得好快喔！

小芬跟先生幾年前在工作聚會上認識，由於兩人都是外表亮眼且在職場上表現出色的社會勝利組，兩人的組合被稱為業界的金童玉女，羨煞了不少同年齡層的女同事！

剛新婚的時候小芬時常會在臉書上放他們的出遊的照片，現在除了孩子跟她的照片外，很少看到小芬跟先生兩人的合照了。

維妮：聽說妳先生現在是亞太區的業務經理，應該蠻忙蠻常出差的吧？

小芬：是啊！他每個月都需要出差，在家的時間也是在線上開會或趕工作。我有時候都覺得自己像個偽單親一樣，一個人照顧兩個孩子真的很累。再加上孩子現在開始有很多課外

活動或學習營，這個費用加那個費用，加起來每個月也是一筆可觀的開銷。現在因為自己沒有工作收入，所有支出都必須要跟先生支領，那種感覺好像矮人家一截一樣，有時候蠻難受的。尤其是兩人如果在忙或累的時候講到錢的事情很常會擦槍走火吵起來。

小芬：有時候很懷念當初在工作的時候，自己的開銷自己花，不需要看人家臉色的時光，想想實在是懷疑當初把工作辭掉的這個決定到底是對還是錯。所以我跟你說，好好享受現在沒有家累的生活吧！想做甚麼就做甚麼，想買甚麼就買甚麼，想飛到哪度假就可以直接啟程！

小芬帶著羨慕的眼神說。

維妮：每個人都有自己的問題，而每件事情都有它好跟壞兩面，端看你怎麼看跟怎麼處理，所以妳就不用覺得自己的狀況不好。

維妮：不過倒是妳剛剛提到跟先生有時候談到錢的時候會擦槍走火，狀況還好嗎？我現在有蠻多客戶都是需要兩性金錢的咨詢，有甚麼是我可以幫忙的嗎？

小芬：我也不知道從何說起。我們其實沒有甚麼特定的事情會大吵，但好像講到錢的時候，關係就會緊繃了起來。舉例來說好了，我們前一陣子才換了一台新車，因為之前那台車子載兩個孩子跟他們的東西真的不夠空間，在買車的過程中我們倆就一直吵，他想要買歐系豪華型房車，看起來比較氣派，而我想要一台日產休旅車，好開好停就好；吵了很久後，後來我們折衷貸款買了台歐系的休旅車，比當初的預算多出好多。我不懂為甚麼一定要花那麼多錢買車，這錢可以省下來去付房貸。

小芬：又或是之前他媽媽跟他說一位遠親需要金錢資助，他在完全沒有跟我知會的狀況下，就從我們的聯名銀行戶口中匯了一筆錢給這位遠房親戚。我是之後上網看銀行繳帳單時才突然看到這筆支出，詢問他的狀況下，他才輕描淡寫地跟我說的。我當時整個氣炸！

小芬：第一是我覺得沒有受到尊重，第二是我們家不是這樣子用錢的！所以我真的不懂他的邏輯！

感覺小芬這股悶氣已經憋了很久，終於有個人可以傾訴就等不著不吐不快。

維妮：我能夠理解你的委屈跟挫折。那你們之後有做甚麼緩和彼此的狀況嗎？

小芬：也沒做甚麼特別的動作！事後我們有一段時間都不跟對方講話，但在同一個屋簷下不說話其實蠻難的！後來因為孩子的活動兩人都必須參加就開始講起話來，但也盡量避免談論有關錢的問題了。我覺得現在的感覺就像是其實兩人都知道只談到錢就會吵架，所以我們就盡量避免提到錢了。

你是否也曾經經歷過或聽過類似的狀況出現呢？

不同的金錢觀通常是婚姻中引發財務衝突的導火線。據報告顯示，在各國，財務衝突是導致婚姻失衡甚至是離婚的前三大主因之一。

而在生活中，我們很多人對於金錢的觀念跟我們的伴侶相當不同，卻又不知道該如何解決彼此間對於財務的差異。老一輩的人選擇一輩子爭執不休，或睜一隻眼閉一隻眼；年輕一代的人有些人覺得人生苦短，要活得快樂些而選擇兩人分道揚鑣。

其實在我從事顧問的職業中，大部分財務問題在經過咨商或是顧問引導後都是有解決方法的。而解決兩人財務衝突的第一步就在於認知自己與釐清你跟對方在金錢觀上的差異。

我們每個人來自不同的家庭或成長背景，因為愛或其他原因而決定與對方一起相處生活。當激情逝去，兩人的蜜月期過去，面對的是真實的日常生活。而我們在日常生活中處理事情的方法或做事情的方法，都是透過過去累積的一些習慣而

來的，像有人喜歡洗碗的時候讓水龍頭的水一直流，然後一個碗一個碗洗，有些人喜歡把有顏色跟白色的衣服一起丟進洗衣機洗，有些人一回到家就會無意識地打開電視，有些人假日的時候寧願在家裡睡到自然醒。這些都是習慣，不管這個習慣好或不好，它都是平常日積月累的生活方式。

財務也是一樣的！每個人都有自己使用金錢或處理財務的習慣，而這些習慣都來自於我們每個人的金錢觀。

· 金錢觀影響了我們如何用錢的方式；

· 金錢觀影響了我們投資的偏好或先後順序；

· 金錢觀影響了我們對於錢在我們心目中的重要性與安全感；

· 金錢觀影響了我們對於使用金錢時的情緒跟感覺；

這些影響了我們做金錢的決策，久而久之這些就變成我們的金錢習慣，而將每天的金錢習慣累積起來，即變成了我們目前的財務現狀。

要了解我們自己的金錢觀，就要先從我們個人的成長背景看起。

回想一下自己的成長過程中家庭狀況如何，是小康家庭還是富足或匱乏的狀態？父母之間是如何討論跟處理財務問題，是其中一個人主導家庭財務還是兩人共同討論呢？討論的過程當中是爭執多還是討論時間多？在成長過程中是否有一些過往的經驗深深影響到現在的想法？

另外在成長過程中，我們也會不自覺承襲了父母的一些行為跟觀念。還記得小時候父母講到錢的態度是甚麼嗎？是時常提醒我們家裡沒錢或錢不夠用等的匱乏心態，還是反正東西先花了再說，錢再賺就有了？而你又從父母的觀念中學到甚麼？

有些人對於過往或許沒有太多的想法或記憶，所以我專為華人設計了一套致富人格測驗，這個測驗在探討的，即是我們潛意識裡跟金錢的關係。除了可以幫助我們解析我們的致富人格在理財上的思維跟行動力外，也可以幫助我們找到自己的潛力跟潛在的挑戰，讓你更能夠事半功倍達到富足人生。有興趣可以透過以下連結去初步了解自己的致富人

格。https://www.unblockyourwealth.com/take-money-type-quiz-chinese/

在了解了自己的金錢觀及態度後，我們也跟另一半做個對比進而討論。

- 　兩人的金錢觀是否相同？相似？或相反？

- 　兩人對於錢的態度是否相同？相似？或相反？

- 　兩人對於金錢使用上的排序是否相同？相似？或相反？

- 　是否這些不同處造成兩人的衝突？

兩性
財務討論技巧

以下是維妮跟小芬分享的三個兩性財務討論上的技巧：

1. 抱持同理心：在討論過程中，一個非常重要的點是抱持同理心！就如同先前所提到的，每個人由於家庭或成長背景不同，對於金錢觀當然會或多或少有些許不同。

   討論的過程並非去指責對方的不對或是錯誤的觀念，而是抱持同理心去了解為甚麼對方會有這樣的想法跟行為，進而去了解兩人應該要如何去找出共通點及一同管理家庭財務的方法。

2. 互相尊重：另一個很重要的點是要保持互相尊重！很多人有個觀念，認為賺錢的人講話就可以比較大聲，就能夠控制家庭的資金和財務管理。但是不要忘記，一個家是由兩

人一起扶持一起經營的，很多無償的家庭雜事被當作理所當然，而導致雙方的地位不平等。試想，如果你沒有對方幫你處理這些家庭雜事或教養小孩而你花錢去請別人來做，這又是家庭的一筆開銷。所以互相尊重才能將婚姻走得長遠！

3. 設定共同目標：一段關係是否會走得遠走得久，端看兩人是否有共同的目標跟方向。如果一個人想往西，另一個人想往東，那這段關係就很難對交。我在兩性財務咨詢中會要求雙方設定每個月至少一次的財務約會。在這個約會中，兩個人討論的是設定兩人的短程，中程及長程目標；就這些目標做出兩人的共同計劃。預期的花費是多少？應該要放在一邊的存款有多少？費用應該是從彼此個人賬戶或是共同賬戶中支出？接下來是否有一些大項的支出或預算需要處理或開始執行？

幾個月後再次碰到小芬！小芬看起來明顯開心不少，氣色也明亮了許多。

她忍不住跟我分享她跟先生的財務約會經驗。她告訴我原本

她還有些猶豫要如何跟她先生開口，怕開口後又是一場紛爭；原來她丈夫在這段時間也在思考這個問題，因為他認為唯有經營好兩人的和諧關係才能夠給彼此跟孩子一個和樂的家庭環境。所以他們事先先安排保母照顧孩子，讓他們兩人可以有專心的兩人時間。

對於自從有了第二胎之後就沒有兩人約會的年輕夫妻，小芬跟先生特別珍惜有這個機會可以獨處。她們照著維妮的建議，兩人先互相分享雙方在成長過程中，從自身經驗及從父母那所學到的金錢觀念，及對金錢使用的先後順序；過程中保持互相尊重，主動傾聽，不爭執也不加入自己言論或立場，這對一般人來說是多麼的有挑戰，但卻是重要的溝通方式。兩人將自己與對方相同跟不同點列下來，就列下來的不同點試圖找到兩人的中間和諧點。兩人也針對兩人對這個家及這個婚姻的期待與未來做了討論並訂下了一些計劃。

小芬開心的說：我從來沒有覺得跟我先生那麼貼近過！感覺我們好像是一個 team，在同艘船上朝著同一個目標前進。這種感覺非常地踏實，也非常的美好！兩人現在知道如何溝通跟了解彼此的需求而不需要互相猜忌！這才是兩人當初互相

許諾終身時想要達到的境界！維妮，這個財務約會真的是每段關係都應該要落實的，太重要了！

維妮：太好了，小芬！看到妳開心有一個幸福美滿的家庭，我也替你感到非常高興呢！.

兩人有緣份才能夠有機會一起共同生活，甚至共組家庭，而要維持和諧的關係需要雙方面共同經營維護。家庭財務在關係中佔了一個非常重要的角色，與其兩人為了避免爭執而不談論金錢，我們更應該開始正視跟好好學習良性正面的財務溝通才能夠達到真正的財務和諧關係。

怎樣能夠在家庭夫婦之間對金錢的處理更加容易有共識呢？以下有幾種方法可以考慮。

1. 首先需要有預算，所以需要建構一個每月家庭收支狀況預算，不要有太多的驚喜而導致收支出現落差。

2. 當家庭出現盈餘時，亦要一起做決定如何分配，例如有餘錢是否應該分為一些可用作享樂，用作儲蓄又或是用作長線投資的呢？

3. 除了為未來做安排，今天亦應該對自己好些，所以每月應該設定一定金額的津貼作為按個人喜好的消費或是儲蓄。

4. 應向對方分享大家的財務責任，亦應該清晰分工，面對有些大家都不願做的工作又或是儲蓄目標，亦需要作為替代輪替式安排，例如每個月大家可以以甲乙形式互相有較多的儲蓄金額。

5. 每月應有和財政有關的家庭會議，將一些以往未有處理妥當又或是未完全完成的金錢有關決策認真商討，設定時間表。

6. 每人都有自己的目標和夢想，但自己總會記著個人的需要而容易忽略對方，所以應一起列出下一個目標和夢想的名單，而過程中亦能夠令大家更了解對方。

7. 大家都是為家庭著想，亦努力儲蓄，所以當能夠達到先前商討的做法，便應該鼓勵對方，假如未能完全達標，亦應該適當地檢討而調校，當情況有改善亦應該得到正面鼓勵。

Chapter 10

富足家庭的
100 個簡單秘密

「富有」
分不同層次

到了這書的最後一課，亦是一個總結。要擁有富足家庭，便要懂得如何運用財富來滿足需要，而需要是以家庭為單位，所以在建立富足家庭時，除了要時間外，還牽涉到取捨的決定。由於不是一個人的事，如何能夠平衡家人各人的需要也是門很重要的學問，如何能在家庭中有效溝通直接影響了大家的想法及對家庭的凝聚力。另一方面，富足的「富」不只是金錢有關的富，還有心靈和身體的富，全面財富組合應是心靈富足，有健康便有財富，和有足夠應付財務需要的金錢財富。

三種財富都會受內在及外在環境因素影響而改變，怎樣能確保是向好的方向改變呢？我參考了一本書，作者Dr. David Niven是一位美國大學的心理學教授，書的名稱是 `The

100 Simple Secrets of Happy Families - What Scientists Have and How you can use it."，他分析了100篇研究報告，分析了快樂家庭的元素，我以書的內容為基礎，再配合個人理解而寫出富足家庭的100個簡單秘密，我認同有些是知易行難的概念或方法，但不努力又怎可享受到豐盛回報呢？切記：想擁有富足，要每天付出！

態度
(Attitudes)

100 個富足家庭的簡單秘密

	態度（Attitudes）
1	對待家人如朋友
2	相信自己為家庭做的事
3	對將來有承諾才能令家庭富足
4	對家庭的奉獻和高薪厚職沒有直接關係
5	與家人的關係緊密度不是由居住距離決定
6	父母應為孩子建立基礎，不是要超越自己的基準
7	父母應平衡自己的「想要」和對家庭的「需要」
8	面向逆境時，只有想法正面才有轉機
9	對家庭成員的妒忌是自動會出現的
10	讓孩子明白堅持及努力以赴是由個人控制
11	大家族和小家庭都有關係的煩惱

12	家庭不是便利店，有需要便來
13	不要讓負面情緒增強，因會出現負面行為及生活
14	對孩子的期望必須配合個性
15	不要被孩子的出生次序影響家庭關係
16	工作滿足感不是家人的喜好
17	一家人都有同等發言權
18	下一代的家庭模式可能有變，但關係不會變
19	接受年青人選擇服飾都是一種避開風險策略
20	留心同輩家人的競爭會導致壞後果
21	四大長老不是你的敵人
22	家人都有獨特個性，不能接受也要理解
23	你可以有獨特個性，但不可以要求其他人和你一樣
24	年輕人和長輩，行為不同，但都想有好的家庭關係
25	傳承金錢和物質給孩子總會用完，他們需要的是無盡關愛和支持
26	娛樂節目中的家庭只反映了真實家庭的一部份，不宜用來比較
27	每個決定反映你的輕重次序，決定了便去履行承諾，永遠都是你的選擇

行為
(Behaviours)

45	守時是習慣，不應對象不同而有分別
46	處理方式不同不代表不重視家庭關係
47	利用取悅行為來獲得某家人認同，對家庭未必是好事
48	家庭傳統活動可增強關係及社交能力
49	鼓勵孩子發展興趣，不是需要
50	家人需要支持而不是代他們做決定
51	牛頓第三運動定律解釋了對家人支持力
52	點起多處火頭只會令問題更難控制
53	意見不同是平常事，懂得尊重及平常心
54	孩子總會犯錯，能否從錯誤中學習決定人生路
55	分擔家務代表你對家庭的承擔
56	建立寫下個人想法的習慣令人更清楚人生路怎樣走
57	家人每天為家庭做著的瑣事，正是營運家庭的必須事
58	控制脾氣，或選擇放棄
59	壞的飲食習慣在家人中是會傳染的
60	多幫助家人，你會感覺更好及更相信自己
61	維持失敗的婚姻，對孩子未必是最好的處理方法
62	對孩子過度保護會威脅他們將來的人際關係發展
63	對家庭關係的期望要有最低要求，不能沒底線
64	父母面上的煩惱，孩子心中的困擾
65	家庭提供了養分，讓孩子健康，自信及懂得滿足地成長
66	每個人都必須為家庭生活作出貢獻，不是你獨力承擔
67	每個人都要做真實的自己，才能有緊密的家庭關係
68	提出異議時能令對方感覺被尊重是需要學習的能力
69	父母時常陪伴在旁遠勝不停供應物質
70	不要以為組織家庭是易事，但不是不可能
71	孩子個個不同，但要平等對待
72	不管是好和壞方面，家庭關係都要時間發展及改變

結果
(Consequences)

	結果（Consequences）
73	組織了家庭或有了新成員代表你多了身份，新身份代表新責任和關注事情
74	專注在家庭目標便有動力及計劃
75	孩子將來會感激父母今天對他們的要求
76	兼顧家庭和工作有壓力，也有滿足感
77	冷靜的問題才能得到答案
78	孩子在家庭生活中學會如何建立人際關係
79	與家人坦承討論重要話題能增進關係
80	滿意度取決於角度
81	有愛才能長期真誠地照顧有需要的家人
82	從家庭整體著想，誰負責賺錢都沒關係
83	家人是可以傾訴困難的對象，方法總比困難多
84	寵物也是家庭成員
85	家人患病被照顧，也要了解照顧者需要
86	能看到個人優點能提升家庭面向難關時的正向積極信念
87	孩子應有父母及其他可信賴的成人協助成長

88	過來人經驗是參考，不是指令
89	事情可以淡忘，情緒卻不容易
90	擁有資金可改善環境，有商有量可改變心境
91	家庭未來由共同目標決定，不需要相同性格
92	多和孩子相處的父母更年輕和有活力
93	社交媒體影響了孩子的思想和及行為，父母要學習運用，令他們不被利用
94	家庭以外，亦要有個人時間和空間
95	富足生活是整體感覺，不應受單一事件影響
96	沒有完美的家庭及人生，滿足感是相對的
97	學習真實生活，不要只追求完美人生
98	懂體諒及關心才會有緊密關係
99	只要你認為做到，雖然過程中一定有挑戰，但都會過去的
100	雖然每個家庭都由不同成員組成，但將來都是由大家一起決定

237

每句說話我都是先細讀了書中原文演繹，再按ABC（態度，行為和結果）分類，然後用自己的文字表達出來，相信對大家有更大的啟發性。但大家在逐項了解時，可能認為有些簡單秘密我分類為A的，應該是B或C更適當，諸如此類，總之是感覺分類不當。ABC是互相關連的，本質上不可以完全清楚地分類，所以不要將專注力放在分類，應放在執行上，看如何能夠提醒自己或用在家庭中，達到富足家庭的目標。

如果有興趣進一步了解我對每一個簡單秘密的想法，歡迎大家在Facebook專頁上聯繫。

我的Facebook專頁：

（一）Alvin Money Coach　　（二）家庭理財教育學會

 Alvin Money Coach　　 家庭理財教育學會

"Wealth is largely the result of habit."
~ John Jacob Astor

238

Wealth 115

富足家庭ABC

Attitudes Behaviours Consequences

作者	林昶恆
出版經理	呂雪玲
責任編輯	Acid Luk
書籍設計	Stephen Chan
相片提供	Getty Images

出版	天窗出版社有限公司 Enrich Publishing Ltd.
發行	天窗出版社有限公司 Enrich Publishing Ltd.
	香港九龍觀塘鴻圖道78號17樓A室
電話	(852) 2793 5678
傳真	(852) 2793 5030
網址	www.enrichculture.com
電郵	info@enrichculture.com
出版日期	2020年4月初版

承印	嘉昱有限公司
	九龍新蒲崗大有街26-28號天虹大廈7字樓
紙品供應	興泰行洋紙有限公司

定價	港幣 $138　新台幣 $580
國際書號	978-988-8599-41-7
圖書分類	(1) 投資理財　(2) 工商管理